Gebhard Mathis/Lungen- und Pleurasonographie

Springer

Berlin
Heidelberg
New York
Barcelona
Budapest
Hongkong
London
Mailand
Paris
Santa Clara
Singapur
Tokio

Gebhard Mathis

Lungen- und Pleurasonographie

2. Auflage

Mit 78 Abbildungen in 108 Einzeldarstellungen, davon 3 farbige, und 4 Tabellen

Univ.-Doz. Dr. med. Gebhard Mathis
Krankenhaus der Stadt Hohenems
Interne Abteilung
Bahnhofstr. 31
A-6845 Hohenems

ISBN 3-540-60146-5 2. Aufl. Springer-Verlag Berlin Heidelberg New York

ISBN 3-540-54888-2 1. Aufl. Springer-Verlag Berlin Heidelberg New York

Die Deutsche Bibliothek – CIP-Einheitsaufnahme
Mathis, Gebhard:
Lungen- und Pleurasonographie: mit 4 Tabellen/Gebhard
Mathis. – 2. Aufl. – Berlin; Heidelberg; New York; Barcelona;
Budapest; Hongkong; London; Mailand; Paris; Santa
Clara; Singapur; Tokio: Springer, 1996
ISBN 3-540-60146-5

Satz: Elsner & Behrens GdbR, Oftersheim
Druck: Betz-Druck, Darmstadt
Verarbeitung: Schäffer GmbH & Co. KG, Grünstadt
SPIN: 10493653 21/3135-5 4 3 2 1 0 – Gedruckt auf säurefreiem Papier

Geleitwort zur 1. Auflage

Im Bereich des Abdomens ist heute ohne Frage die Sonographie die primäre und dominierende Untersuchung. Hier haben sich einige röntgendiagnostische Verfahren erübrigt oder sind nur mehr sehr gezielt im Einsatz. Die Thoraxorgane Lunge und Pleura hingegen sind nach wie vor Domäne der Radiologie und Isotopenmedizin. Im klinisch-praktischen Alltag wird der Ultraschall vorwiegend nur zur Darstellung von Pleuraergüssen verwendet. Knöcherner Thorax und Luft sind ja als „Feinde" der Ultraschallwellen bekannt, und weder den Fachärzten für Pulmologie noch uns Internisten war der Thorax als sonographisches Untersuchungsobjekt Gegenstand großer Hoffnungen. Erst durch frühere Arbeiten des Kollegen Mathis wurden wir in unserer Abteilung darauf hingewiesen, welch enorme Möglichkeiten der Ultraschall auch am Brustkorb bietet.

Wenn wir nunmehr eine ganze Monographie über die Ultraschalldiagnostik der Lunge und der Pleura in unseren Händen halten, so zeigt dies die rasche Entwicklung auf diesem Gebiet. Das Buch wurde von einem Internisten geschrieben, der die fast an ein Wunder grenzende Möglichkeit hatte, alle seine Befunde mit einem sonographischen Radiologen zu vergleichen und mit einem sonographierenden Isotopenmediziner zu diskutieren. Aus dieser Kooperation verschiedener Fachrichtungen ergaben sich in den durchgeführten Studien ganz hervorragende Ergebnisse für die Ultraschalldiagnostik. Die daraus resultierenden Möglichkeiten für die ultraschallgezielte Untersuchung der Thoraxorgane sind ein großer Fortschritt und sollten uns ermutigen, in diesem Gebiet weiter zu arbeiten. Wenn man die heutige Situation im Krankenhaus betrachtet, die Schwierigkeiten durch Personalmangel, die oft langen Wege zu unterschiedlichen Untersuchungen und die mangelhafte Kooperation, so kann man erst ermessen, welche Vereinfachung und Erleichterung die „bedside-Methode" des Ultraschalls liefern kann und weiter liefern wird. Wie bei allen anderen Erkrankungen wird durch den Ultraschall sicherlich nicht die übrige Diagnostik nutzlos oder unsinnig, der Untersuchungsgang wird aber vereinfacht, die Zuweisungspraxis gezielter und damit endlich die Diagnostik mit Hilfe bildgebender Verfahren exakter. Nicht zuletzt sollte die Kosten-Nutzen-Rechnung positiv beeinflußt werden.

Ich freue mich, daß ein Internist ein neues Feld für die Ultraschalldiagnostik erschließt und daß er es versteht, in kompetenter und umfassender Weise dieses Gebiet weiten Kreisen zugänglich zu machen.

Ich wünsche diesem Buch viel Erfolg und den Lesern viele Anregungen und viel Glück bei ihren eigenen Untersuchungen.

G. Judmaier

Vorwort zur 1. Auflage

Die diagnostischen Möglichkeiten der Sonographie werden in der Abklärung von Erkrankungen der Pleura und der Lunge bisher nicht oder nur selten ausgeschöpft. Für den Ultraschall widrige Umstände, die darin bestehen, daß der Ultraschall vom knöchernen Thorax völlig reflektiert wird und in der belüfteten Lunge weitgehend ausgelöscht wird, haben das falsche Vorurteil entstehen lassen, daß mit der Sonographie in diesem Bereich nicht viel zu erreichen ist.

So wie die Sonographie im Oberbauch als erstes bildgebendes Verfahren etabliert ist, so ist das Thoraxröntgenbild der Grundstandard in diesem Bereich, mit dem man zufrieden ist und ausreichend zurecht zu kommen meint. Soll nicht das Thoraxröntgenbild angesichts der einfachen Einsetzbarkeit der Sonographie durch diese ergänzt und auch hinterfragt werden? Welche zusätzlichen Informationen können wir gewinnen?

Obwohl schon in den sechziger Jahren mit A-Scan gezeigt wurde, daß periphere Lungenkonsolidierungen verschiedener Genese eine pathologische Schalltransmission verursachen, die auch den Schlüssel zur Ultraschallbildgebung peripherer Lungenerkrankungen bietet, wurde dieser Weg erstaunlicherweise nur sporadisch und im Großen und Ganzen inkonsequent verfolgt. Die Ultraschallbildgebung der erkankten Lunge ist mit modernen, hochauflösenden B-Scannern hinsichtlich Sonomorphologie und Treffsicherheit noch zu wenig untersucht. Es gibt zwar etliche ermutigende Berichte über kleine Patientenkollektive, doch noch zu wenig größere, kontrollierte Studien.

Dieser Versuch, die Möglichkeiten des Ultraschalls an Pleura und Lunge darzustellen, beruht auf etwa 600 Sonographien peripherer Lungenläsionen und über 1000 Untersuchungen der Pleura, bzw des Pleuraraumes, einschließlich entprechender Verlaufskontrollen in einem Zeitraum von fünf Jahren. Dabei wurden mehrere kontrollierte, teils auch experimentelle Studien durchgeführt.

Abgesehen von wenigen Ausnahmen, in denen kein Röntgen zur Verfügung steht, muß die Lungen- und Pleurasonographie heute noch immer im Kontext und in Kenntnis des Thoraxröntgenbildes und gegebenenfalls weiterer bildgebender Verfahren (Computertomographie, Szintigraphie, Angiographie) gesehen werden. Nur so lassen sich Fehlinterpretationen vermeiden und können Vor- und Nachteile der verschiedenen Unterrsuchungstechniken entsprechend bewertet werden.

Dieses Buch ist auch ein gesammelter Zwischenbericht über sonographisch gewonnene Zusatzinformationen, auf die wir im klinischen Alltag nicht mehr verzichten können. Diese Mitteilungen sollen zum kritischen Einsatz auf breiterer Basis und zur Weiterentwicklung der Methode ermuntern.

Es ist zu hoffen, daß die Lungensonographie durch Untersuchungen mit Farbdoppler- und Kontrastsonographie noch zielführende Impulse erhält.

Hohenems, Februar 1992 Gebhard Mathis

Vorwort zur 2. Auflage

Erfreulicherweise war die erste Auflage bald vergriffen. Seit Drucklegung derselben sind zahlreiche neue Arbeiten zur Sonographie der Pleura und der Lunge erschienen, so daß eine Überarbeitung angezeigt war. Auch unsere Erfahrungen auf diesem Gebiet sind gewachsen. Mittlerweile enthalten auch die meisten Ultraschallehrbücher eigene Kapitel zur Thoraxsonographie, die Methode wird zunehmend eingesetzt. Das Buch wurde aktualisiert, didaktisch überarbeitet und um einige Kapitel bzw. Unterkapitel erweitert. Die meisten Abbildungen wurden beibehalten, neue hinzugefügt.

Hohenems, Herbst 1995 Gebhard Mathis

Dank zur 1. Auflage

Diese Arbeit wurde mir durch die Unterstützung etlicher Personen ermöglicht, denen ich hier herzlich danken möchte:

- Meinem Chef und klinischen Lehrer, Primarius Dr. Gottlieb Sutterlütti, der – bei dieser wie bei anderen Arbeiten – zum Projekt ermuntert und kompetent beraten hat, die Untersuchungsergebnisse und deren klinische Relevanz laufend kritisch hinterfragt hat und schließlich den Stellenwert der Methode zu schätzen weiß.
- Meinen Mitarbeitern Dr. Josef Metzler und Dr. Dietmar Fußenegger, die viele Befunde auf Reproduzierbarkeit überprüft und im Verlauf kontrolliert haben. Oft geschah dies auch nach dem anregenden Motto: ich seh' etwas, was du nicht siehst.
- Unserem Radiologen Dr. Michael Feurstein, der selbst ein erfahrener Ultraschaller ist, diese Patienten aber nur radiologisch untersucht hat. Bei diesen Untersuchungen wurden die meisten Röntgenbefunde doppelblind erstellt, was zu einem sehr fruchtbaren Methodenvergleich geführt hat.
- Dr. Hubert Bertolini und Dr. Josef Walser, bei denen ich die US-Grundausbildung gemacht habe. Sie haben mich auch bei der Auswahl der Abbildungen beraten.
- Dozent Dr. Heinz Fritzsche vom Nuklearmedizinischen Institut und Primarius Dr. Wolfgang Oser vom ZRI (Angiographie) Feldkirch für die gute Zusammenarbeit.
- Oberarzt Dr. Klaus Dirschmid und Dr. Ulrike Gruber vom Pathologischen Institut Feldkirch für die Mitarbeit an den experimentellen Untersuchungen mit makro- und histopathologischen Überprüfungen.
- Mein Dank gilt auch dem Springer-Verlag und seinen Mitarbeitern, Frau Dr. Ute Heilmann, Barbara Löffler, Ilse Wittig und Olivia Schuhmacher für die sorgfältige Herausgabe.

- Schließlich danke ich ganz besonders meiner Frau Ingrid und den Kindern Michael, Lucia und Judith, die – mit dem Wunsch, daß sie den Patienten diene – viel Verständnis für diese Arbeit aufbringen und etliche gemeinsame Freizeit geopfert haben.

Gebhard Mathis

Dank zur 2. Auflage

Seit der ersten Auflage hat sich auch das Team an unserer Abteilung verändert. Ich danke allen meinen Mitarbeitern, die weiterhin mit Interesse und Eifer Untersuchungen zur Thoraxsonographie durchführen: Dr. Otto Gehmacher arbeitet u.a. an der Duplexsonographie bei peripheren Lungenkonsolidierungen, Dr. Alexander Kopf untersucht die Lungentuberkulose im Ultraschall. Aber auch Dr. Michael Schreier, Dr. Robert Bitschnau und Oberarzt Dr. Thomas Wertgen bringen mit ihrer täglichen Arbeit im Ultraschalluntersuchungsraum und am Krankenbett viel Detailarbeit und klinische Praxis ein. Neuerlich gilt mein Dank der Familie für ihr Verständnis. Danke auch den Mitarbeitern des Springer-Verlags, Dr. Carol Bacchus, Bernd Wieland und Adelheid Duhm, für die sorgfältige Zusammenarbeit bei der Neuauflage.

Gebhard Mathis

Inhalt

1 Indikationen, gerätetechnische Voraussetzungen und Untersuchungsvorgang 1

1.1 Indikationen zur Thoraxsonographie 1
1.2 Geräteausstattung und Schallkopfwahl 3
1.3 Untersuchungsvorgang
1.4 Befunddokumentation 5
Literatur 5

2 Brustwand 7

2.1 Ultraschallnormalbefund der Brustwand 7
2.2 Weichteilläsionen 9
2.3 Läsionen im knöchernen Thorax 14
Literatur 20

3 Pleura 21

3.1 Pleuraerguß 21
3.2 Sonographische Differerenzierung von Pleuraergüssen 24
3.3 Pleuritis 27
3.4 Volumetrie von Pleuraergüssen 28
3.5 Pneumothorax 32
3.6 Pleuramesotheliome 33
3.7 Pleurametastasen 35
Literatur 38

4 Lungentumoren 41

4.1 Sonomorphologie von Lungenkarzinomen und Metastasen 41
4.2 Ultraschallgeführte transthorakale Punktionen 47
Literatur 55

5 Lungenembolie und Lungeninfarkt 59

5.1 Pathophysiologische Vorbemerkungen – Voraussetzungen zur Ultraschallbildgebung 60
5.2 Lungeninfarkte im Wasserbad 62
5.3 Der akute, frische Lungeninfarkt im Sonogramm – Lungenfrühinfarkt 65
5.4 Der typische, ausgeprägte Lungeninfarkt im Sonogramm – Lungenspätinfarkt 69
5.5 Zur Treffsicherheit der Ultraschalldiagnostik bei klinischem Verdacht auf Lungenembolie 72
5.6 Sonographische Suche nach der Emboliequelle 74
5.7 Vorläufige Beurteilung der diagnostischen Wertigkeit des Ultraschalls bei Lungenembolie im Vergleich zu anderen bildgebenden Verfahren 76
Literatur 78

6 Pneumonien 81

6.1 Bakterielle und virale Pneumonien 81
6.2 Lungenabszesse – diagnostische und therapeutische Schritte 86
6.3 Tuberkulose 88
Literatur 90

7 Lungenatelektasen 93
Literatur 95

8 Perikard und Mediastinum 97

8.1 Perikard 97
8.2 Transthorakale Mediastinalsonographie 98
8.3 Transösophageale Mediastinalsonographie 103
Literatur 104

9 Duplexsonographie peripherer Lungenkonsolidierungen 105
Literatur 108

10 Bildartefakte und Pitfalls 109
Literatur 114

Sachverzeichnis 115

1 Indikationen, gerätetechnische Voraussetzungen und Untersuchungsvorgang

1.1 Indikationen zur Thoraxsonographie

Nach Erhebung der Krankengeschichte und dem klinisch-physikalischen Befund ist das Thoraxröntgenbild der klassische Schritt zur weiteren und ersten bildgebenden Diagnostik im Thoraxbereich. Bietet das Thoraxröntgen keine klare Diagnose sondern trübe Verschattungen, empfiehlt der Radiologe meistens weiterführende aufwendigere Schritte und Schnitte (CT mit Spirale, „high resolution" und „evolution", Angiographie, MRI etc.).

Dazwischen liegt die Thoraxsonographie: ein verlängertes Stethoskop mit anderen Frequenzen und Umsetzung in dynamische Bilder. Diese im Abdomen, an Herz, Gefäßen und vielen „small parts" alltäglich eingesetzte Ultrasonographie hat an Pleura und Lunge einen noch unklaren Stellenwert (Abb. 1.1 a, b). Also ist die Indikationsstellung abhängig von

- der Verdachtsdiagnose nach unbefriedigendem Thoraxröntgen
- der Fähigkeit des Untersuchers, zu sehen, was zu sehen ist
- der Chance einer einfachen, raschen, bettseitigen Akutdiagnostik
- den diesbezüglich unterbenutzen Geräten, die anderen Zwecken zugeordnet sind
- zielführend und kostengünstig durchführbaren Verlaufskontrollen.

Gegenwärtig ist die Thoraxsonographie im klinischen Alltag mehrheitlich noch ein Blick über Zäune, obwohl etliche klare Indikationen zur Untersuchung bestehen, wie die Übersicht zeigt. Sie gehört aber auch in vielen Kliniken und Praxen bereits zum alltäglichen Instrumentarium.

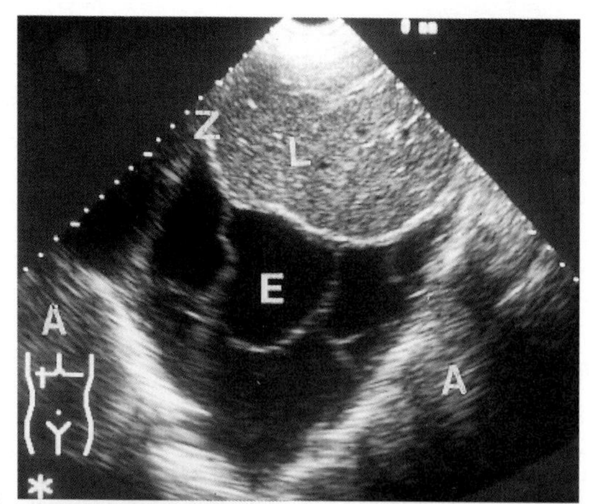

a

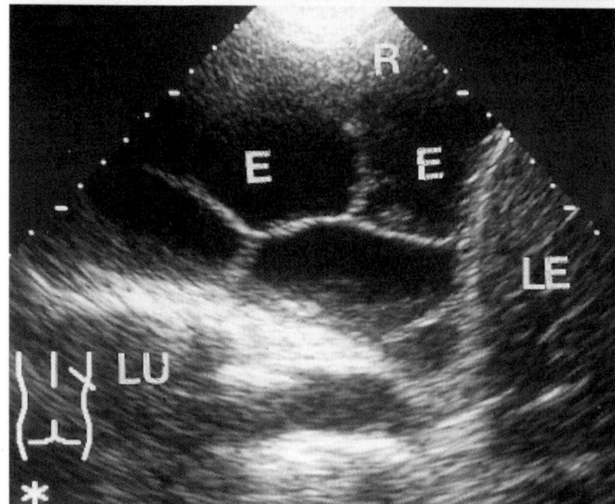

b

Abb. 1. a, b. Im Subkostalschnitt (**a**) vom Abdomen her zeigt sich bei starker Verkleinerung schallkopfnahe die Leber *(L)*, berandet durch das echogene, „weiße" Zwerchfell *(Z)*. In der Tiefe des Bildes kommt ein gekammerter Pleuraerguß *(E)* zur Darstellung. Dieser ist von Septen durchzogen und durch die belüftete, „weiße" Lunge begrenzt. Hinter dem echogenen Luftband der Lunge sieht man nur noch Artefakte *(A)*.Transthorakal (**b**) läßt sich der Erguß bei interkostalem Zugang unmittelbar darstellen. Ergußkammern *(E)* sind einzeln der gezielten Punktion leicht zugänglich. Der thorakal-pleurale Rand ist durch Rauschartefakte *(R)* verwaschen. *Z* = Zwerchfell, *LE* = Leber, *LU* = belüftete Lunge

Indikationen zur Thoraxsonographie

1. ***Brustkorb:*** palpatorisch oder radiologisch
   - unklare Weichteilläsionen (Lymphknoten)
   - Frakturen und Osteolysen (Thoraxtraume)
2. ***Pleuraraum: liquide – solide?***
   - Pleuraerguß – Pleuraempyem – Hämatothorax
   - Schätzung des Ergußvolumens
   - Ergußdichte – Ergußkammerung?
   - solide Strukturen im Erguß?
   - US-geführte Pleurapunktion
   - Pneumothorax?
   - Therapiekontrollen bei Pleuraergüssen

3. ***Subpleurale Lungenläsionen***
   3.1 periph. ***Lungenkarzinome und Metastasen***
      - US-geführte Biopsie
      - Therapiekontrolle
   3.2 ***Lungenembolie/Lungeninfarkt?***
   3.3 ***Pneumonie***
      - Einschmelzung - Abszeßbildung
      - Erregerisolierung
      - US-geführte Drainage von Abszessen
      - Verlaufskontrolle
   3.4 ***Tuberkulose:*** Einschmelzung und Therapiekontrolle
4. ***Vorderes, oberes Mediastinum***
   - Tumoren und Lymphknoten
   - US-geführte Biopsie
   - Therapiekontrolle

Weichteilverdickungen der Thoraxwand, perkutorische Dämpfung, abgeschwächtes Atemgeräusch und umschriebener Throaxschmerz werden als primäre Indikationen zur Sonographie gesehen. Verschiedenste unklare Röntgenbefunde wie randständige Thoraxverschattungen, Pleuraerguß oder Mediastinalverbreiterung stellen sekundäre Indikationen dar, die mittels Sonographie häufig rasch und zielführend geklärt werden können, ehe aufwendigere bildgebende Verfahren zum Einsatz kommen (Reuß 1992).

Besonders Intensivpatienten, die beatmet werden oder aus anderen Gründen (zahlreiche Leitungen) schlecht transportiert werden können, sollten viel häufiger sonographiert werden. Über den Röntgenbettthorax hinaus werden damit Informationen gewonnen, die in 66% hilfreich für die Diagnostik sind, zu 90% die Therapie beeinflussen und in 41% den Therapieplan entscheidend beeinflussen (Yu et al. 1992).

1.2 Geräteaustattung und Schallkopfwahl

Zur Thoraxsonographie sind die meisten der heute handelsüblichen Ultraschallgeräte ab der mittleren Kategorie geeignet, die den technischen Richtlinien entsprechen (Trier 1994).

Da sowohl oberflächliche als auch tiefer liegende Strukturen zu beurteilen sind, ist der Einsatz verschiedener Schallsonden und Schallfrequenzen von 3–7,5 MHz empfehlenswert.

Oberflächliche Prozesse in der Brustwand lassen sich am besten mit hochfrequenten Linearschallköpfen darstellen, andererseits sind niedrige Frequenzen bei tief liegenden Läsionen, ausgedehnten Pleuraergüssen oder bei Untersuchungen adipöser Patienten und durch die Mammae vorteilhaft.

Sektorschallköpfe bieten einen Vorteil: wird bei interkostaler Sonographie durch systematisches Absuchen entlang des Interkostalraumes eine Läsion gefunden, kann durch Drehung des Schallkopfes um 90° diese auch im Längsschnitt gut dargestellt werden, während die schallauslöschenden Rippen bei Linearschallköpfen stören.

Oberflächliche Strukturen allerdings lassen sich mit Linearschallsonden besser als Ganzes darstellen. Konvexschallsonden oder elektronische Sektorsonden mit größeren Konvergenzwinkeln (90–120°) können Vor- und Nachteile von Linear- und Sektorschallköpfen ausgleichen.

1.3 Untersuchungsvorgang

Die Untersuchung wird – wenn möglich – beim sitzenden Patienten begonnen. Wenn lokalisierte Schmerzen bestehen, wird zunächst diese Region beschallt. Systematisch werden dann die Interkostalräume untersucht. Der Proband hebt jeweils einen Arm an und legt die Hand an den Hinterkopf, oder seine Arme werden auf einem Beistelltisch mit einem Polster hochgelagert. Dadurch können die Interkostalräume etwas ausgeweitet und das Schulterblatt nach lateral gedreht werden. Legt der Patient die Hand der zu untersuchenden Throaxseite hinter die gegenseitige Schulter, wird das Schulterblatt soweit außenrotiert, daß auch die normalerweise hinter dem Schulterblatt liegende Region einsehbar wird. Nach Untersuchung der Lungenspitze durch die obere Thoraxapertur werden beim liegenden Patienten die anterioren Lungenabschnitte eingesehen. Je nach Einsehbarkeit erfolgen auch Seitlagerungen, wobei wiederum das Anheben des Armes der zu untersuchenden Seite vorteilhaft ist. Schließlich können das rechte Zwerchfell durch die Leber als Schallfenster und wenigstens teilweise auch das linke Zwerchfell vom Abdomen aus eingesehen werden, wobei der transdiaphragmale Zugang im Falle einer pathologischen Schalltransmission, sei es durch Erguß oder durch solide Strukturen, ebenso zielführend ist. In allen Phasen der Untersuchung ist auf ***Atemverschieblichkeit*** zu achten, wodurch pulmonale Prozesse auch bei fehlendem Pleuraerguß rasch von Läsionen in der Brustwand zu unterscheiden sind. Bettlägerige und Intensivpatienten können mit etwas Umlagerung auch im Liegen weitgehend untersucht werden.

1.4 Befunddokumentation

Eine gründliche schriftliche Befunddokumentation umfaßt

1. Patientendaten und Untersuchungsdatum,
2. Untersuchungsindikation und Fragestellung,
3. Detaillierte Beschreibung des erhobenen Befunds mit Angabe, wo der Schallkopf appliziert worden ist,
4. Interpretation des Befunds mit Diagnose und Stellungnahme zur Fragestellung.

Für jeden pathologischen Befund ist eine ***Bilddokumentation*** erforderlich. Diese soll in 2 Ebenen erfolgen, um das Ausmaß der Läsion möglichst klar darzustellen und Artefakte als solche erkenntlich machen.

Literatur

Reuß J (1992) Thoraxwandprozesse und Lungenverschattungen. In: Rettenmaier G, Seitz K (Hrsg) Sonographische Differentialdiagnostik, Band 2. edition medizin Weinheim S 803

Trier HG (1994) Funktionseigenschaften von Ultraschallgeräten. Ultraschall in Med 15:223–232

Yu CJ, Yang PC, Chang DB, Luh KT (1992) Diagnostic and therapeutic use of chest sonography: value in critically ill patients. AJR 159:695–701

2 Brustwand

2.1 Ultraschallnormalbefund der Brustwand

Die Darstellung der Brustwand gelingt am besten mit 7,5- bis 10-MHz-Linearschallköpfen oder mit der Curved-array-Technik. Bei niedrigeren Schallfrequenzen ist eine Wasservorlaufstrecke erforderlich. Hochfrequente Sektorsonden bieten an der Oberfläche einen sehr kleinen Bildausschnitt, so daß die Orientierung erschwert ist. Kleine umschriebene Läsionen und die Interkostalräume lassen sich auch damit hinreichend beurteilen.

Die Weichteile der Brustwand sind sonographisch komplett darstellbar. Die Unterhaut ist überwiegend echogen, zeigt aber je nach Fettgehalt individuell unterschiedliche Schallbilder.

Typisch ist das Echomuster der ***Muskulatur***: echoarm und gefiedert. Ventral ist der Pektoralmuskel gut darstellber, dorsal der M. latissimus, der Trapezius und die paravertebrale Rückenmuskulatur. Die Echogenität der Muskeln variiert auch etwas nach Alter und Trainingszustand. Bei Jugendlichen und gut trainierten Probanden sind die Muskelschichten echoärmer. Faszien grenzen sich als schmale echogene Linien ab.

Der Reflex der ***knöchernen Rippen*** ist schmal. Sie führen zu kompletter Schallauslöschung mit entsprechendem Schallschatten (Abb. 2.1 a). Bei mangelhafter Geräteeinstellung ist der Rippenreflex fast zu übersehen, dann bricht das Bild durch Schallauslöschung plötzlich ab.

Der ***Rippenknorpel*** ist bei Probanden unter 40 Jahren in aller Regel kein Schallhindernis: er ist oval im Längschnitt, echoarm, homogen und läßt dahinterliegende Strukturen einsehen (Abb. 2.1 b). Da der Knorpel den Schall schneller leitet als das Interkostalgewebe, tritt hier ein Artefakt auf: der Rippenknorpel ist im Ultraschallbild schmaler als in Wirklichkeit, die Pleura wirkt leicht angehoben, ein häufiger Artefakt in der Thoraxsonographie (s. Kap. 10).

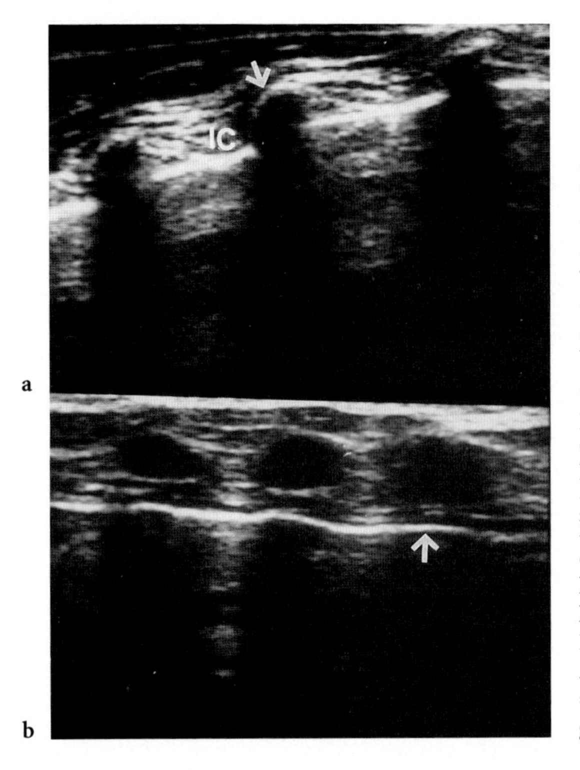

Abb. 2.1 a, b. Rippen (**a**) und Rippenknorpel (**b**) bei einem 12jährigen Buben. Die knöchernen Rippen (**a**) verursachen eine komplette Schallauslöschung. Es zeigt sich ein schmales Reflexband (→) mit komplettem Schallschatten. Der Rippenknorpel (**b**) kommt oval und weitgehend echolos zur Darstellung; das pleurale Reflexband (→) hinter dem Knorpel zeigt, daß der Schall den Rippenknorpel passiert. Dieser kann sich auch als optische Linse auswirken und damit Artefakte begünstigen. *IC* = Interkostalraum mit abgebildeten Muskelschichten

In den ***Interkostalräumen*** lassen sich 2–3 Schichten von Zwischenrippenmuskeln mit sehr schmalen echogenen Faszienlinien dazwischen darstellen. Die Mm. intercostales externi und interni sind ausgeprägt, die Mm. intercostales intimi individuell angelegt, oft mit dem inneren Interkostalmuskel verwachsen und durch die Interkostalgefäße trennbar.

Die sonographische Darstellung der normalen Brustwand endet bei der prägnanten, echodichten ***Pleuralinie (Pleuraband).*** Diese setzt sich aus Echos der endothorakalen Faszien und der Pleura selbst zusammen und kann durch den großen Impedanzsprung zur belüfteten Lunge breiter sein als es der anatomischen Wirklichkeit tatsächlich entspricht.

Falls reichlich ***subpleurales Fettgewebe*** vorhanden ist, können subpleurale Fettpolster als schürzenähnliche Gebilde am Rippenrand hängen und eine noduläre oder diffuse Pleuraverdickung vortäuschen.

Diese subpleuralen Fettschürzen zeigen individuell eine unterschiedliche Echodichte, echoarm, echogleich oder dichter als die Interkostalmuskeln. (Sakai et al. 1990).

In der ***Supraklavikularregion*** bilden die Subklaviagefäße Leitstrukturen: Diese sind echoarm bis echolos, bei guter Auflösung kommt das Intimaecho der Gefäße als bandförmige Linie zur Darstellung.

Die ***Axillarregion*** wird in der vorderen Achselfalte vom freien Rand des M. pectoralis major und in der hinteren Achselfalte vom M. latissimus dorsi begrenzt. An der medialen Wand der Axilla zeigen sich der M. serratus anterior und die weiteren interkostalen Strukturen. Der Verlauf der Muskeln richtet sich auf den Humeruskopf. Durch die Skalenuslücken tritt der Gefäßnervenstrang unter dem Schlüsselbein in die Axilla ein. Von medial nach lateral ist der Gefäßnervenstrang wie folgt gegliedert: Vena axillaris, Arteria axillaris, Plexus brachialis („VAN"). Es empfiehlt sich, die Sonoanatomie der Axilla beim Gesunden in den standardisierten Schnittebenen eingehend zu studieren. Der Erfahrene kann dann auch kleinste Abweichungen wie Lymphknotenmetastasen frühzeitig feststellen (Hergan et al. 1991).

2.2 Weichteilläsionen

Hämatome sind meistens echofrei bis echoarm und haben manchmal feine, schleierartige Binnenechos (Abb. 2.2). Selten zeigen Hämatome auch relativ dichte Echos. Das Echomuster von Hämatomen wird durch den Erythrozytengehalt und den Organisationsgrad geprägt. Ein ähnliches Bild zeigen ***Abszesse***, manchmal mit echodichter Kapselbildung oder flottierenden Binnenstrukturen (Abb. 2.3).

Lipome bieten eine relativ echodichte Textur und imponieren oft unschaft begrenzt, wobei die Echogenität letztlich vom zellulären Fettgehalt und den Impedanzunterschieden im Interstitium abhängt (Abb. 2.4).

Malignome hingegen, wie Sarkome oder Metastasen in den Weichteilen, sind echoarm und inhomogen und lassen manchmal diffus infiltrierendes Wachstum erkennen. Die ultraschallgeführte Punktion sichert die Diagnose.

Subkutan tastbare Schwellungen sind meistens ***Lymphknoten***. Deren Dignität kann sonographisch natürlich nicht sicher beurteilt werden.

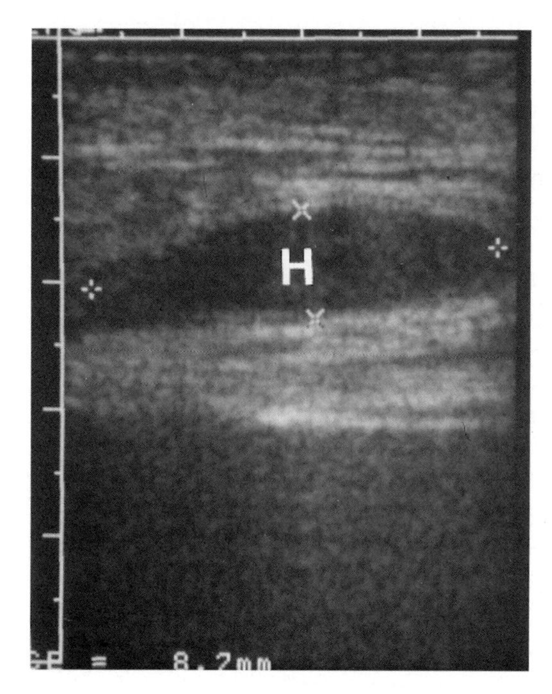

Abb. 2.2. Frisches subkutanes Hämatom *(H)*: echoarm mit feinen, schleierartigen Binnenechos umgeben von echogenem Bindegewebe

Tabelle 2.1. Sonomorphologie von Lymphknoten

	Entzündlich	Malignes Lymphom	LK-Metastasen
Form	ovalär/länglich	rund/oval	rund
Rand	glatt	glatt	unregelmäßig
Begrenzung	scharf	scharf	unscharf
Wachstum	perlschnurartig	expansiv/verdrängend	infiltrativ
Verschieblichkeit	gut	gut/mäßig	schlecht
Echogenität	echoarmer Rand „Hilusfettzeichen“	echoarm/homogen „zystisch“	echoinhomogen

Doch gibt es einige sonomorphologische Kriterien, die eine vorsichtige Zuordnung erlauben (Tabelle 2.1). Andererseits bietet sich der Ultraschall für effiziente Verlaufskontrollen an.

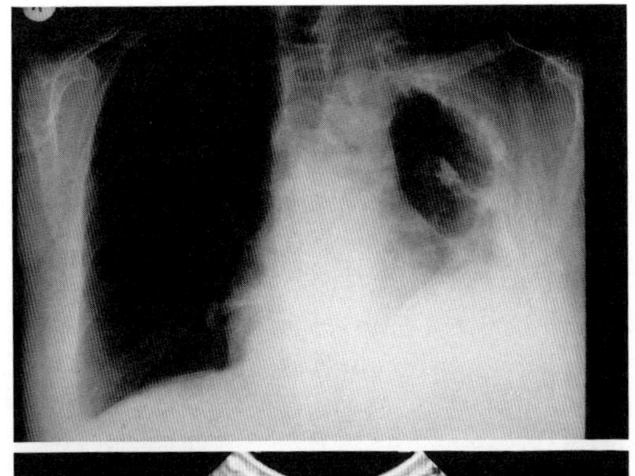

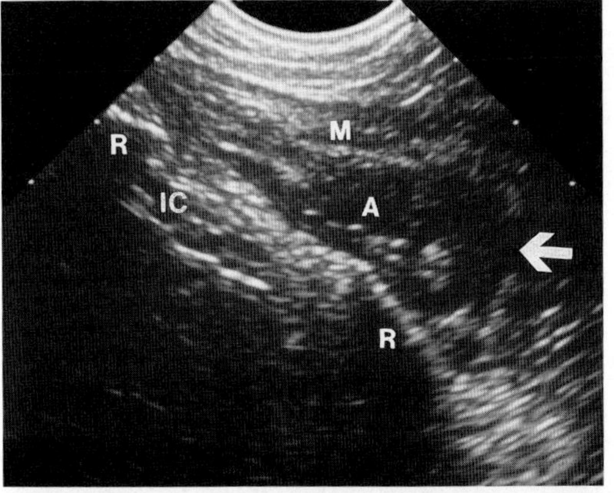

Abb. 2.3 a, b. Im Thoraxröntgen (**a**) dieser Patientin mit rezidivierenden Fieberschüben lassen sich nur alte, narbige posttuberkulöse Veränderungen nachweisen. Das Ultraschallbild (**b**) zeigt einen 3 × 2 cm großen „kalten" tuberkulösen Abszeß *(A)* zwischen Pektoralmuskel *(M)* und Rippe *(R)* bzw. Interkostalraum *(IC)*. Die Diagnose wurde zunächst durch US-geführte Feinnadelpunktion mit dem Nachweis säurefester Stäbchen gesichert, anschließend bei der operativen Sanierung bestätigt

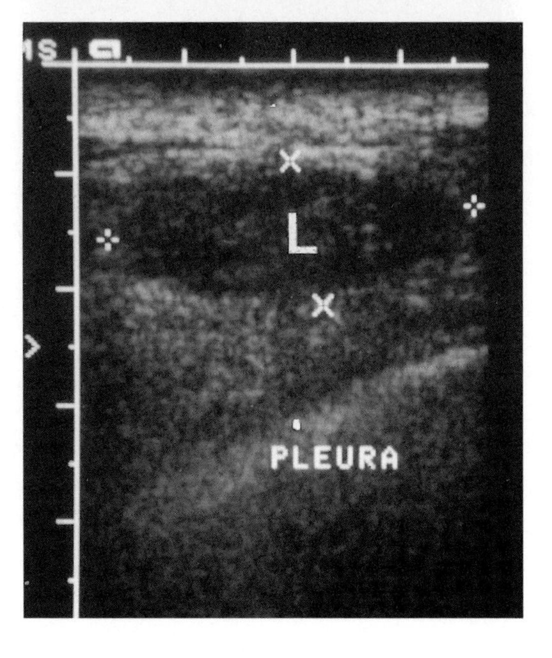

Abb. 2.4. Subkutanes Lipom *(L*, +–+, x–x), echoarm und scharf begrenzt. Die Echogenität von Lipomen hängt letzlich vom Fettgehalt der Zellen und dem dazwischen liegenden Bindegewebe ab. Lipome können unterschiedlich echogen sein

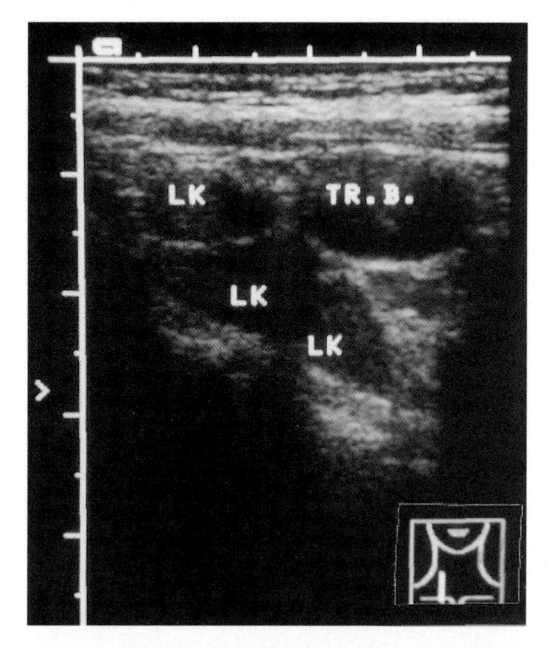

Abb. 2.5. Entzündlich vergrößerte Lymphknoten *(LK)* im oberen Halsdreieck bei Mononukleose, rundlich, ovalär, teils auch triangulär geformt, echoarm und scharf begrenzt. *TR.B.* = Truncus brachiocephalicus

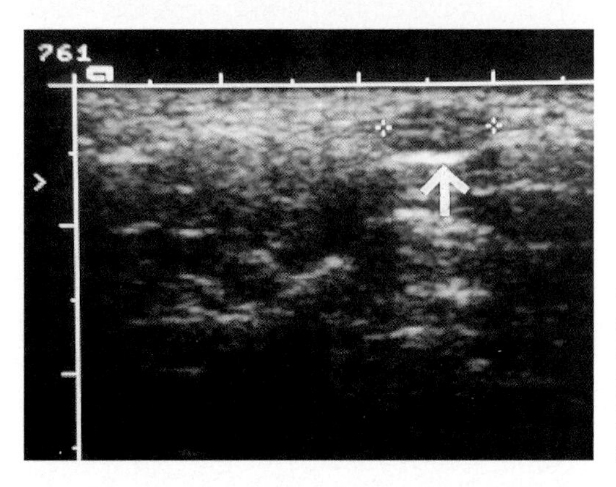

Abb. 2.6. 8 mm großer, entzündlicher Lymphknoten (→, +–+), der in der Abheilung „verdämmert". Im Zentrum ist das „Hilusfettzeichen" zu sehen

Entzündliche Lymphknoten sind selten größer als 2 cm, glatt begrenzt, oval, triangulär oder länglich geformt (Abb. 2.5). Bei Lymphadenitis sind sie perlschnurartig entlang den Lymphknotenstationen angeordnet. Entsprechend dem anatomischen Aufbau mit Fett- und Bindegewebe im Zentrum und lymphatischem Mantel zeigen sie eine mehr oder weniger ausgeprägte echogene Binnenzone, das „Hilusfett-

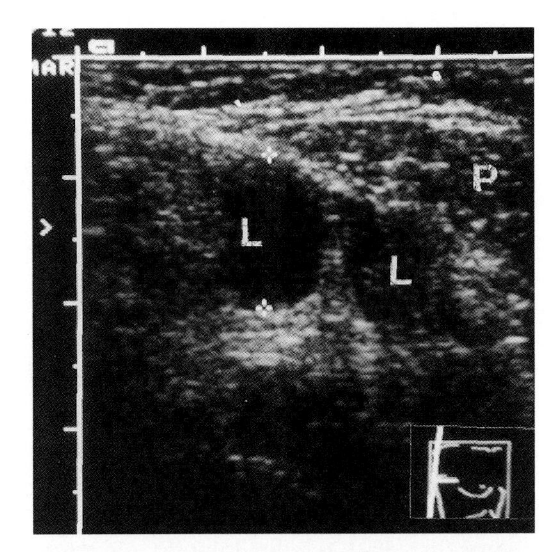

Abb. 2.7. Entzündlich vergrößerte Lymphknoten *(L)* in der Axilla. *P* = Pektoralmuskel

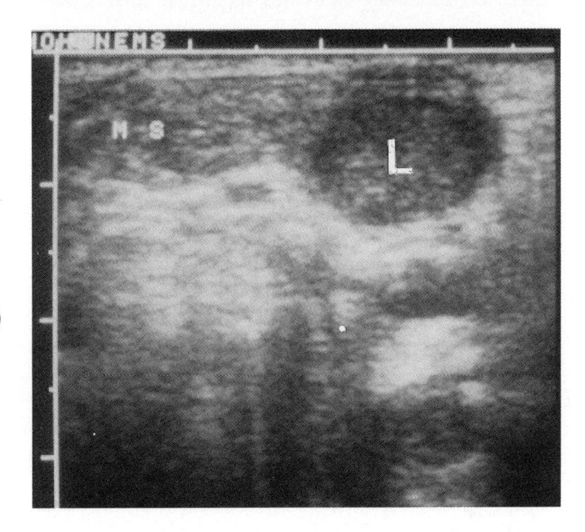

Abb. 2.8. Echoinhomogene Lymphknotenmetastase *(L)* eines epidermoiden Bronchuskarzinoms, die den M. sternocleidomastoideus *(M S)* infiltriert, mit dem sie auch palpatorisch verbacken war

zeichen". Dieses ist besonders in der Abheilungsphase entzündeter Lymphknoten sichtbar (Abb. 2.6 und 2.7). Die zur Umgebung scharf begrenzte Randzone ist echoarm.

Lymphknotenmetastasen sind eher rund und unscharf begrenzt. Ihre Echogenität ist inhomogen und eher echoreich. Das aggressive Wachstum zeigt sich sonographisch gut durch Infiltrationen in Muskeln oder Gefäße (Abb. 2.8).

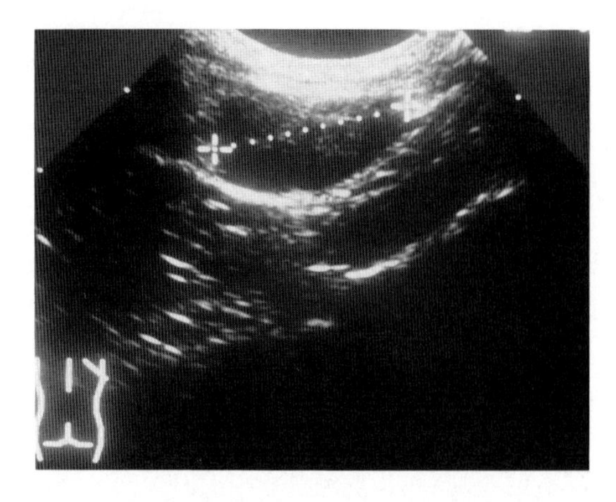

Abb. 2.9. Subkutaner, 1,5 cm großer Lymphknoten (+...+) eines zentrozytischen Non-Hodgkin-Lymphoms, das typischerweise „zystisch" imponiert

Maligne Lymphome hingegen sind homogen, echoarm und scharf abgrenzbar. Fast echolos können zentrozytische maligne Lymphome sein und wie Zysten imponieren (Abb. 2.9). Maligne Lymphome sind rund oder prall oval, selten auch dreieckig. Beidseitig den Gefäßen entlang angeordnete Lymphknoten („Sandwich") sprechen für ein malignes Lymphom.

2.3 Läsionen im knöchernen Thorax

Bei subtiler Untersuchungstechnik lassen sich ***Rippenfrakturen*** mit feiner Stufenbildung oder schmaler Schalltransmission in der Knochenkompakta (Abb. 2.10) und oft auch das begleitende echoarme Hämatom einsehen . Wenn der Frakturspalt schmaler ist als das laterale Auflösungsvermögen der Ultraschallsonde, läßt sich dieser nicht darstellen. In diesen Fällen kann sich die Fraktur in Form eines Artefaktes indirekt darstellen, wobei ein schwaches, echogenes „Kaminphänomen" streng senkrecht in die Tiefe reicht (Dubs-Kunz 1992; Abb. 2.11).

Während in der Röntgentechnik nur die anorganischen Teile des Stützapparates abgebildet werden, können im Ultraschall der Frakturspalt an sich gesehen (Abb. 2.12) und die Kallusbildung (Abb. 2.13) bzw. die Heilungsdauer verfolgt werden. In der Verlaufsbeobachtung umgibt zunächst – dem Hämatom entsprechend – ein echoarmer bis echofreier Hof den Frakturspalt. Ab der 3. bis 4. Woche nach dem

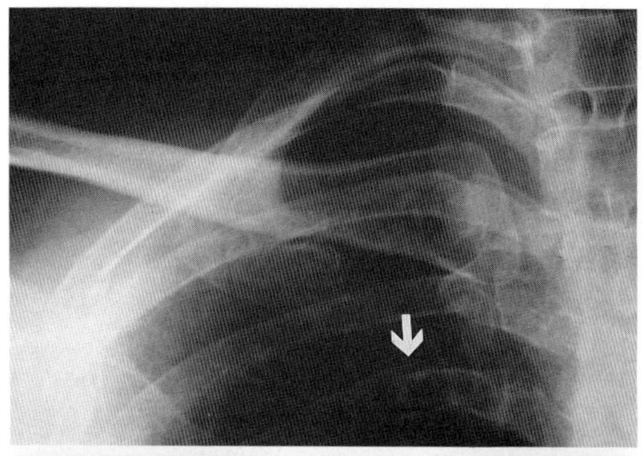

a

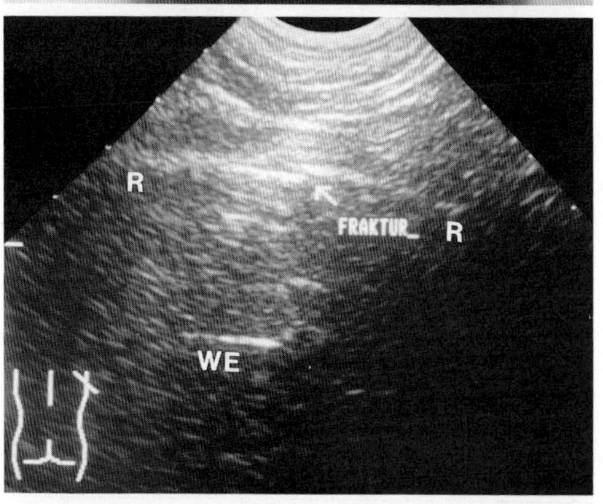

b

2.10 a, b. Fraktur der 5. Rippe rechts dorsal (→). Röntgen- (**a**) und US-Bild (**b**) von derselben Läsion. Im Rippenreflexband *(R)* besteht eine feine Konturunterbrechung mit Stufenbildung. Da der Ultraschall den Frakturspalt passiert und nicht wie sonst an der Rippe total reflektiert wird, entstehen pleurale Wiederholungsechos *(WE)*

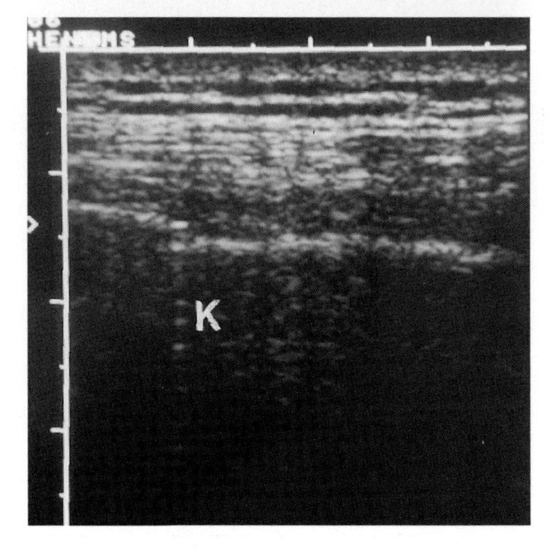

Abb. 2.11. Nur knapp 2 mm dislozierte Rippenfraktur, die in der Röntgenzielaufnahme nicht zu sehen war. Die Dislokation erfolgte durch sanften Druck des Untersuchers. Dahinter zeigt sich das „Kaminphänomen" *(K)*

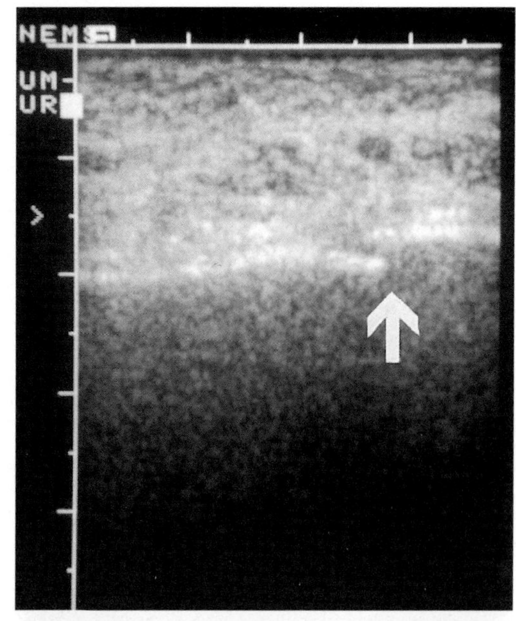

Abb. 2.12. Frische Sternumfraktur nach Sturz (→). Es wurde der Schmerzpunkt der Patientin untersucht. Rasch war sichtbar, was anschließend nur andeutungsweise durch Sternumtomographien bestätigt wurde

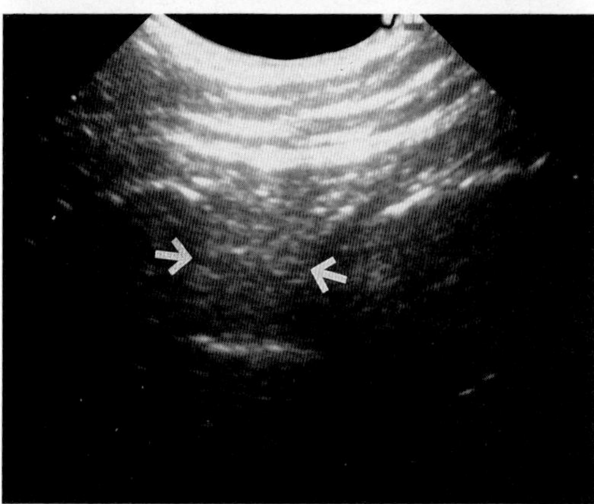

Abb. 2.13. Kallusbildung (→) bei einer 4 Wochen alten Sternumfraktur durch Gurttrauma mit Diastase der Frakturfragmente von 7 mm

Trauma organisiert sich eine Verdichtung. Mit fortschreitender Verkalkung bilden sich feine Schallschatten. Nach Monaten ist der Kallus als Anhebung der geschlossenen Knochenstruktur gut sichtbar (Leitgeb et al. 1990, Dubs-Kunz 1992).

Bekanntlich ist die Röntgendarstellung von Rippenfrakturen unbefriedigend, oft sieht man erst an der Kallusbildung die alte Fraktur. Bei frischen Frakturen sind im radiologischen Summationsbild sowohl der Frakturspalt als auch die Dislokation häufig überlagert. Man wird nicht auf die Röntgenuntersuchung verzichten. Doch ist beim Thoraxtrauma der Ultraschall dem Thoraxröntgen eindeutig überlegen und bietet sich für Verlaufskontrollen zur Klärung an, ob zusätzlich ein begleitender Pleuraerguß, ein pleurales Hämatom oder ein Pneumothorax entsteht.

Ähnlich ist die Situation bei der ***Sternumfraktur*** (s. Abb. 2.9). Man lokalisiert den Hauptschmerz des Patienten mit dem Finger und führt dann die Schallsonde im Längs- und Querschnitt über die frakturverdächtigte Sternumregion. An den seitlichen Sternumanteilen liegt der Ansatz des Pektoralmuskels zwischen und über der Kortikalis. Die Synchondrose zwischen Manubrium und Korpus des Brustbeins zeigt sich als Wölbung mit diskreter Kortikalisunterbrechung und muß als solche identifiziert werden. Die häufigen Gurtverletzungen beim angeschnallten, verunfallten Autofahrer liegen meist kaudaler und sind sonographisch rasch klärbar. Der Ultraschall ist dabei treffsicherer als die einfachen Röntgenaufnahmen, vergleichbar mit der Tomographie des Sternums, und stellt zusätzlich begleitende Weichteilläsionen dar (Fenkl et al. 1992).

Rippen- und Sternumfrakturen im US

- am Schmerzpunkt
- Kortikalisspalt
- Kortikalisstufe
- Hämatomhof
- Kaminphänomen

Osteolysen, meist sind es Metastasen, kommen als gut begrenzte, rundliche oder ovale, echoarme oder grob strukturierte Gebilde zur Darstellung, die je nach Größe auch Binnenstrukturen aufweisen (Abb. 2.14). Dabei bietet sich erforderlichenfalls eine diagnostische Punktion an (Abb. 2.15 und 2.16). Osteolysen lassen sich sonographisch auch im Therapieverlauf kontrollieren, beispielsweise bei Plasmazytomen, Mamma- oder kleinzelligen Bronchialkarzinomen.

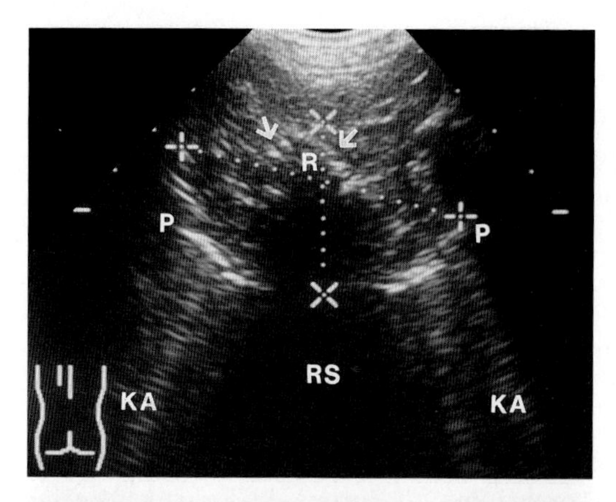

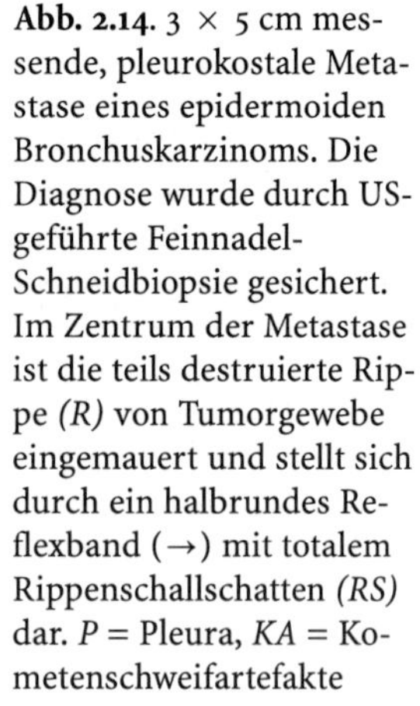
Abb. 2.14. 3 × 5 cm messende, pleurokostale Metastase eines epidermoiden Bronchuskarzinoms. Die Diagnose wurde durch US-geführte Feinnadel-Schneidbiopsie gesichert. Im Zentrum der Metastase ist die teils destruierte Rippe *(R)* von Tumorgewebe eingemauert und stellt sich durch ein halbrundes Reflexband (→) mit totalem Rippenschallschatten *(RS)* dar. *P* = Pleura, *KA* = Kometenschweifartefakte

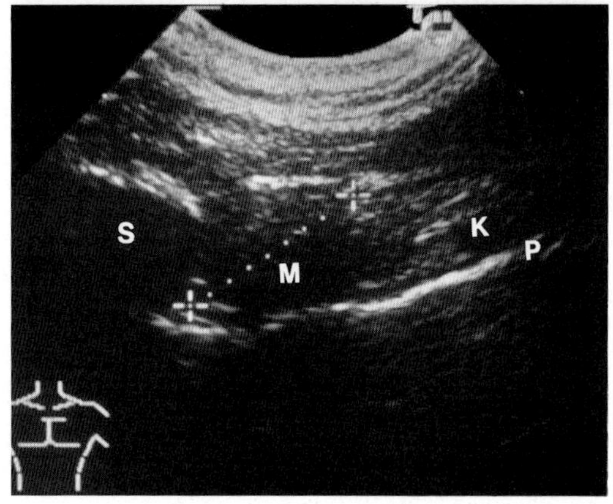

Abb. 2.15. Knapp 2 cm große, parasternale Rippenmetastase *(M)* eines kleinzelligen Bronchialkarzinoms, rund und echoarm, durch US-geführte Biopsie gesichert. *S* = Sternum, *P* = Pleura, *K* = Rippenknorpel

Zusammenfassung

Am Brustkorb dient die Sonographie vor allem zur Detektion von Lymphknoten, wobei aufgrund der Sonomorphologie eine vorsichtige Deutung der Genese der Lymphknotenvergrößerung erlaubt ist. Beim Thoraxtrauma lassen sich auch Rippen- und Sternumfrakturen darstellen, die im Thoraxröntgen nicht oder nur schwer zu sehen sind.

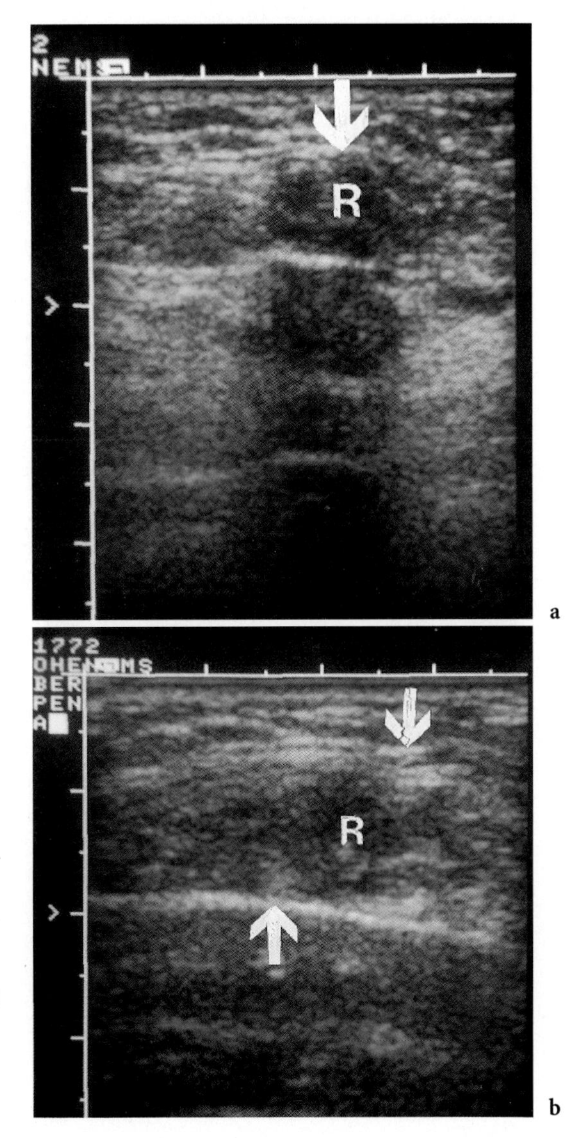

Abb. 2.16 a, b. Rippenmetastase *(R)* eines pleuropulmonalen Adenokarzinoms. Durch die die metastatische Destruktion wird die Rippe echoinhomogen und schallgängig bis zum Pleurareflex. **a** Rippenquerschnitt. **b** Rippenlängsschnitt

Literatur

Dubs-Kunz B (1992) Sonographische Diagnostik von Rippenfrakturen. In: Anderegg A et al. (Hrsg) Ultraschalldiagnostik '91. Springer, Berlin Heidelberg New York Tokyo

Fenkl R, Garrel T, Knaepler H (1992) Diagnostik der Sternumfraktur mit Ultraschall - eine Vergleichsstudie zwischen Radiologie und Sonographie. In: Anderegg A et al. (Hrsg) Ultraschalldiagnostik '91. Springer, Berlin Heidelberg New York Tokyo, S. 274–279

Hergan K, Amann Th, Oser W (1991) Sonoanatomie der Axilla. Ultraschall in Med 12:236–243

Hergan K, Amann T, Oser W (1993) Sonopathologie der Axilla I. Teil. Ultraschall in Med 14:154–162

Hergan K, Amann T, Oser W (1994) Sonopathologie der Axilla II. Teil. Ultraschall in Med 15:11–19

Leitgeb N, Bodenteich F, Schweighofer F, Fellinger M (1990) Sonographische Frakturdiagnostik. Ultraschall11:206–209

Sakai B F, Sone S, Kioyono, Imai S, Izuno I, Oguchi M, Okazaki Y, Kasuga, Ehara T (1990) High resolution ultrasound of the chest wall. ROFO 153/4:390–394

Walz M, Muhr G (1990) Sonographische Diagnostik beim stumpfen Thoraxtrauma. Unfallchirurg 93:359–363

3 Pleura

Pleurale Verschattungen im Thoraxröntgen stellen die häufigste Indikation zur Ultraschalluntersuchung am Thorax dar. Die Röntgenaufnahme des Thorax kann oft nicht zeigen, ob eine Verschattung flüssig oder solide strukturiert ist. In der Abgrenzung von pleuralen zu pulmonalen Prozessen ist das dynamische Untersuchungsverfahren der Sonographie dem statischen Thoraxröntgen überlegen. Eine Thoraxsonographie bringt in diesen Fragen wesentlich mehr als zusätzliche Durchleuchtungsmanöver. Sie ist meistens zielführend und sollte jedenfalls erfolgen bevor aufwendigere Verfahren wie Computertomographie oder Thorakoskopie durchgeführt werden. Die Thoraxsonographie hat ihren fixen Stellenwert in der Stufendiagnostik der pleuralen Verschattung im Thoraxröntgen (McLoud u. Flower 1991; Loddenkemper 1992; Müller NL 1993).

3.1 Pleuraerguß

Flüssigkeitsansammlungen im Pleuraraum stellen seit Jahren eine Domäne der Ultraschalldiagnostik dar (Gryminski et al. 1976; Hirsch et al. 1981). Als weitgehend echolose Gebilde findet man sie häufig schon im Rahmen der abdominellen Sonographieuntersuchung. Sie sind vom echodichten Zwerchfell bogenförmig begrenzt, wobei man die Leber oder die Milz als Schallfenster benutzt. Diese Einstellung, beim liegenden Patienten in Rückenlage, gestattet nur eine grobe Orientierung, ob und in welchem Ausmaß ein Pleuraerguß vorliegt. Ist es nicht naheliegend, bei abdominal beobachtetem Pleuraerguß den Schallkopf auch transthorakal zu applizieren und so eine wesentlich bessere Sicht der Ergußmenge und evtl. vorhandener Binnenstrukturen zu bekommen (Abb. 3.1)?

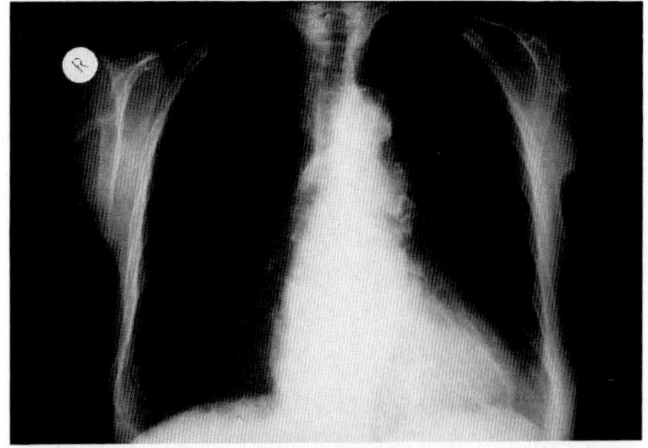

a

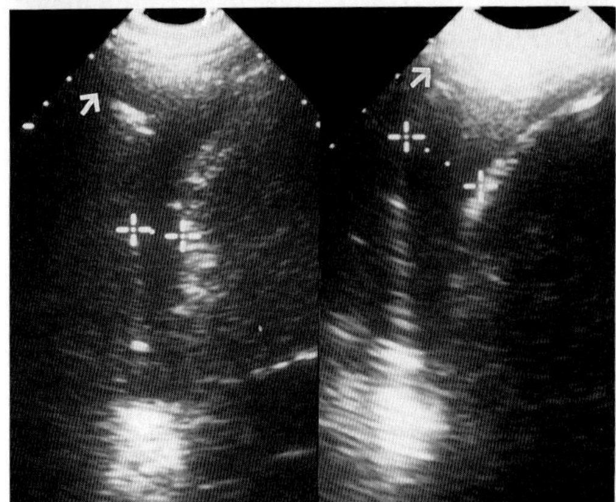

b

Abb. 3.1 a, b. Subpulmonale Pleuraergüsse beidseits, die dem Thoraxröntgenbild (**a**) entgehen, können sonographisch (**b**) gut dargestellt und in in ihrer Ausdehnung beurteilt werden, links 16 mm und rechts 18 mm (+–+) im subpulmonalen Abstand zwischen Zwerchfellkuppe und Lungenbasis. Lateralseitig (→) ist links nur sehr wenig, rechts (→) kein Erguß nachweisbar

Beim subkostalen, transhepatischen Zugang ist auf Spiegelartefakte am Zwerchfell zu achten, die Binnenechos im Erguß oder solide pleurale Strukturen vortäuschen können (s. Kap. 10 Artefakte sowie Abb. 10.2 und 10.3).

Kleine Pleuraergüsse finden sich meist im dorsalen Zwerchfellrezessus und sind beim sitzenden Patienten paravertebral und etwas lateral davon am besten einzusehen. Hier sind auch kleinste Ergußmengen ab einem Minimalvolumen von 10 ml (Abb. 3.2) sonographisch erfaßbar, wobei geringe Ergußmengen im Expirium deutlicher zu erkennen sind.

Im Thoraxröntgen hingegen liegt die Nachweisgrenze bei einem Mindestergußvolumen von 100–175 ml. Insbesondere auch die röntgenologisch schwer zu diagnostizierenden subpulmonalen, supradiaphragmalen Ergüsse, bei denen ein lateral ansteigender Flüssigkeitsan-

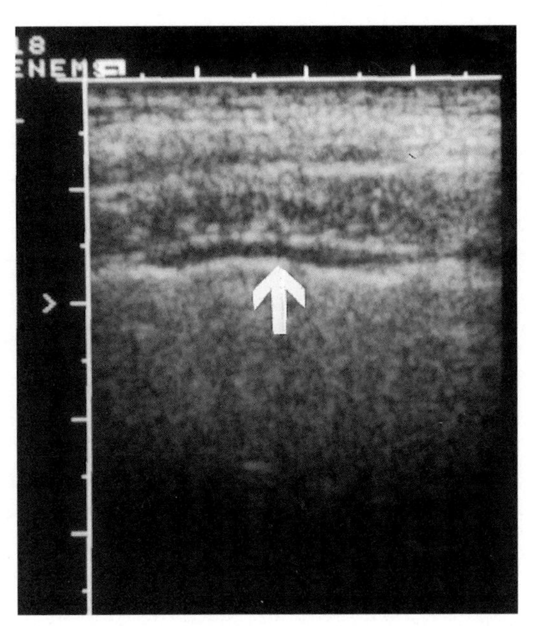

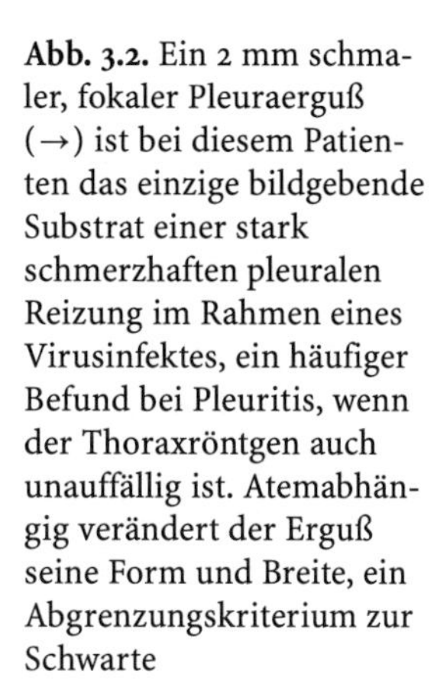

Abb. 3.2. Ein 2 mm schmaler, fokaler Pleuraerguß (→) ist bei diesem Patienten das einzige bildgebende Substrat einer stark schmerzhaften pleuralen Reizung im Rahmen eines Virusinfektes, ein häufiger Befund bei Pleuritis, wenn der Thoraxröntgen auch unauffällig ist. Atemabhängig verändert der Erguß seine Form und Breite, ein Abgrenzungskriterium zur Schwarte

teil fehlt, sind sonographisch gut einzusehen (s. Abb. 3.1 a, b). Interlobär einstrahlende, hängende oder abgekapselte Ergüsse sind bei interkostalem Zugang als echofreie Gebilde darstellbar. Hingegen ist ein Interlobärerguß mit wenig Kontakt zur Thoraxwand nicht oder schlecht einzusehen.

Ein besonderer Vorteil der sonographischen Pleuraergußdiagnostik liegt darin, daß sie am Krankenbett, auch am liegenden Patienten eingesetzt werden kann, wenn der Proband etwas gedreht und umgelagert wird. Somit kann diese Methode auch bei Intensivpatienten angewandt werden, wo sie wesentlich mehr zeigt als das bettseitig aufgenommene Thoraxröntgenbild.

In 110 Thoraxröntgenuntersuchungen im Bett bei 50 intensivpflichtigen Patienten zeigte sich, daß das radiologische Verfahren im Vergleich zur Sonographie von Pleuraergüssen lediglich eine Sensitivität von 47% und Spezifität von 71% für den rechtsseitigen Pleuraerguß bzw. eine Sensitivität von 55% und Spezifität von 93% für den linksseitigen Pleuraerguß aufweist (Kelbel et al. 1991). Besonders problematisch ist das Liegendthoraxröntgenbild bei beidseitigen Ergüssen mit ähnlichen Ergußvolumina, die durch die gleichmäßige homogene Verschattung kraß unterschätzt werden.

Besonders aussagekräftig ist die Thoraxsonographie beim radiologisch weißen Hemithorax. Dabei kann rasch Flüssigkeit von soliden Strukturen unterschieden werden (Goecke u. Schwerk 1990; Yu et al. 1993).

3.2 Sonographische Differenzierung von Pleuraergüssen

Stauungsergüsse bei Herzinsuffizienz sind in aller Regel echolos und bieten für den erfahrenen Untersucher ein charakteristisches Bild (Yang et al. 1991). Die echodichten Pleura- und Zwerchfell-Linien sind dabei schmal. In voluminösen Ergüssen finden sich am Lungenunterrand Kompressionsatelektasen, die hier über weite Strecken des Lungenunterrandes einzusehen sind (s. Kap 7, Abb. 7.1). Bei einem Ergußvolumen über 1000 ml sind sie zu 90% nachweisbar (Kelbel et al. 1990). Diese Kompressionsatelektasen sind meistens schmal, zipfelförmig und spitzwinkelig. Sie zeigen eine scharfe und konkave pleurale Begrenzung, aber einen unscharfen Übergang zur voll belüfteten Lunge. Nach Ergußdrainage sind sie wieder belüftet, also sonographisch wesentlich kleiner oder nicht mehr darstellbar, was wir bei über 70 Patienten mit einem Ergußvolumen von 1000–1800 ml nachvollziehen konnten (s. Abb. 7.1 und 7.2). In mäßig ausgeprägten Stauungsergüssen können Kompressionsatelektasen im Rahmen tiefer Inspiration belüftet werden und „verschwinden“ (Schwerk u. Görg 1993).

Die sonographische Beurteilung von ***Binnenstrukturen*** wie schleierartige Echos, flottierende Zotten oder Septen im Pleuraerguß bzw. an der viszeralen und parietalen Pleura erlaubt vorsichtige Hinweise auf die Genese des Ergusses, daß ein Exsudat vorliegt. Zwischen entzündlichen und maligen Ergüssen kann sonographisch nur unterschieden werden, wenn auch solide pleurale Tumorherde darstellbar sind (Görg et al. 1991; Yang et al. 1991). Falls erforderlich, ist die Ätiologie des Ergusses durch Punktion und bakteriologische, zytologische oder laborchemische Analysen des Punktats oder auch andere diagnostisch weiterführende Maßnahmen zu erhärten.

Diskrete, kleine und zarte Binnenechos, – wie ein Schleier in die Ergußflüssigkeit geworfen – , sind Ausdruck korpuskulärer Elemente wie

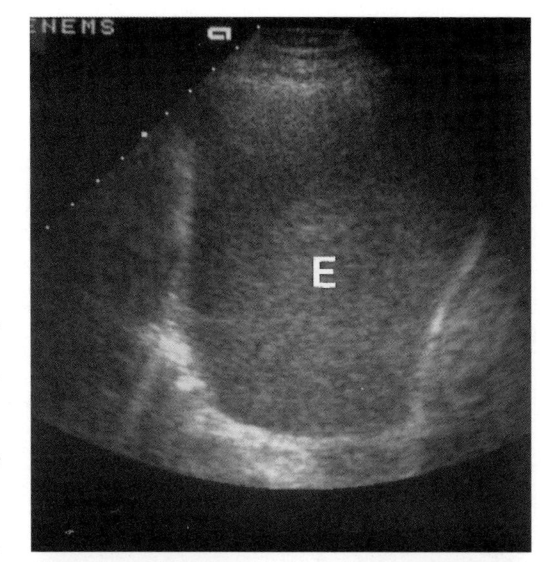

Abb. 3.3. Hämorrhagischer, maligner Pleuraerguß *(E)* bei metastasierendem Ovarialkarzinom. Schleierartige Binnenechos stellen die korpuskulären Bestandteile dar. Solche Bilder bietet auch ein frischer Hämatothorax nach Thoraxtrauma

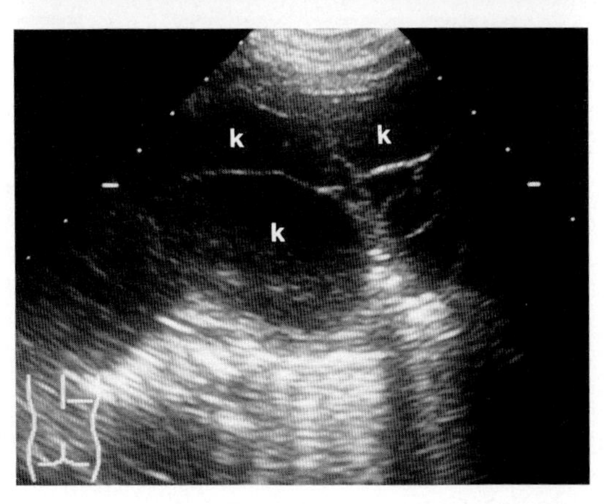

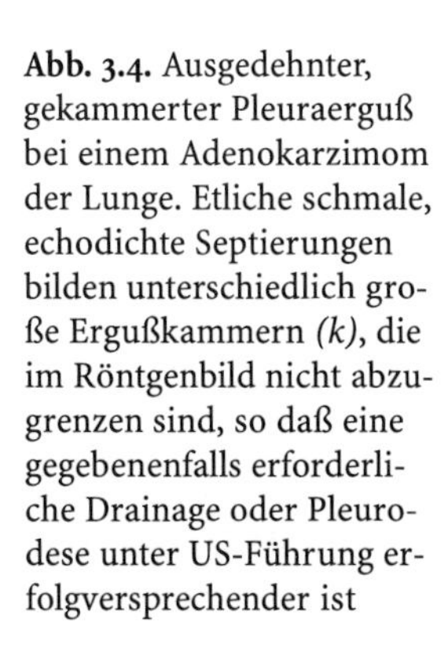

Abb. 3.4. Ausgedehnter, gekammerter Pleuraerguß bei einem Adenokarzimom der Lunge. Etliche schmale, echodichte Septierungen bilden unterschiedlich große Ergußkammern *(k)*, die im Röntgenbild nicht abzugrenzen sind, so daß eine gegebenenfalls erforderliche Drainage oder Pleurodese unter US-Führung erfolgversprechender ist

Erythrozyten, Entzündungszellen oder Fetttröpfchen. Sie wecken in erster Linie den Verdacht auf Blutbeimengung bzw. auf ***hämorrhagischen Erguß*** oder ***Hämatothorax*** (Abb. 3.3). Diese Binnenechos werden durch Atembewegungen und Herzpulsationen aufgewirbelt und sind bei der Real-time-Untersuchung als Turbulenzphänomene sichtbar.

Bewegen sich in den oberen Anteilen des Ergusses sehr helle, luftdichte Echos, wird dies auf einen ***Seropneumothorax*** weisen oder auch eine Punktionsfolge darstellen (Targhetta et al. 1992).

Tabelle 3.1. Diagnostisches Vorgehen bei Pleuraerguß (nach Loddenkemper 1992)

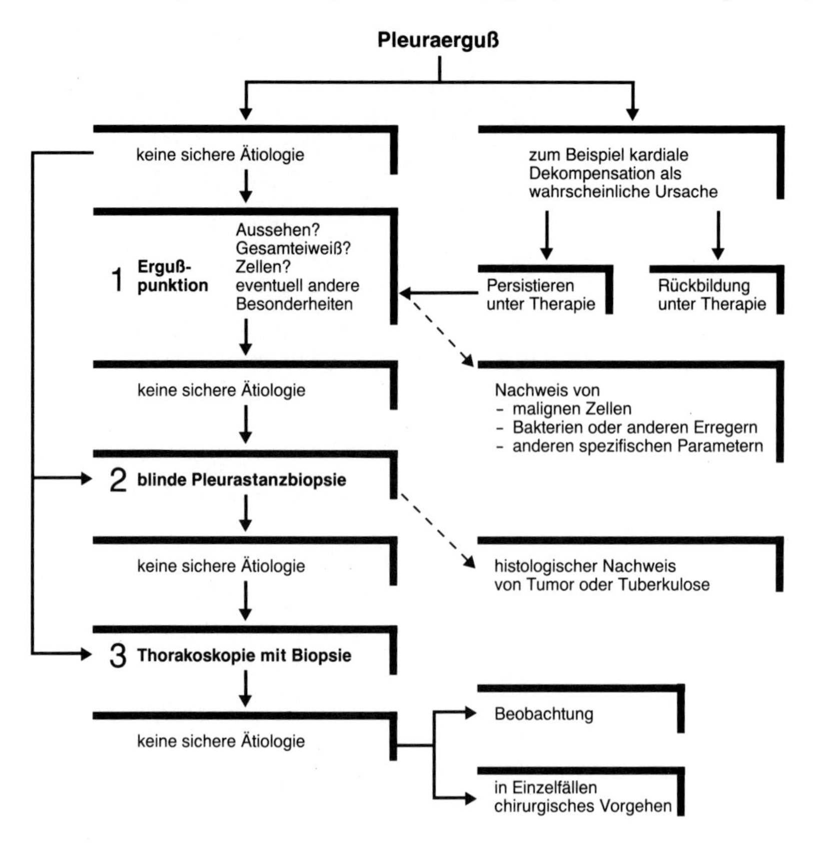

Der ***Chylothorax*** weist durch stark reflexogene Fettpartikel ein relativ echogenes Binnenmuster auf.

Auch ein ***Pleuraempyem*** weist oft Binnenechos auf. Dabei sind beide Pleurablätter verdickt, an denen echodichte, flottierende Zotten und Trossen hängen.

Schmale, echodichte Septen zeigen ***Ergußkammern***. Bei gekammerten Ergüssen können optimale Punktionsstellen ermittelt werden. Es wird aber auch die Aussichtslosigkeit sinnloser Punktionsmanöver erkannt, ehe der Patient mit erfolglosen Eingriffen geplagt wird (Abb. 3.4).

Maligne Pleuraergüsse sind selten echolos, überwiegend auch echoarm. Manchmal sind pleurale Absiedelungen erkennbar, insbesondere eine knotige Verdickung der Pleura diaphragmatica (s. Abb. 3.13). Diese kann auch mit einer metastatischen Platte überzogen sein (s. Abb. 3.14; Tabelle 3.1).

3.3 Pleuritis

In vielen Fällen von sogenannter ***Pleuritis sicca*** im Rahmen von viralen Infekten, die ein unauffälliges Thoraxröntgenbild boten, aber klinisch-physikalisch ein entsprechendes Bild gaben, konnten millimeterschmale Ergußfilme zwischen den Pleuraschichten gesehen werden, wobei die Beobachtung der Atemverschieblichkeit der viszeralen Pleura und die atemabhägige Verformung des fokalen Ergusses wichtig ist, um diesen von subpleurem Fett oder Schwartenbildung abzugrenzen (s. Abb. 3.2). Dazu lassen sich bei Pleuritis häufig einige Millimeter breite, echoarme subpleurale Infiltrationen darstellen, die in der Farbdoppleruntersuchung eine starke Durchblutung zeigen.

Pleuraschwarten sind besonders in frühen Stadien unterschiedlich echogen, doch überwiegend echoarm und zeigen ein vielfältiges Konfigurationsmuster, so daß eine Abgrenzung von Mesotheliomen oder Metastasen nur durch Biopsie oder Verlaufskontrollen möglich ist. Fibrosierungen sind manchmal echodicht, Verkalkungen weisen sehr helle Reflexe auf und können typische Schallschatten werfen.

Benigne Pleuramesotheliome können so echoarm sein, daß sie auf den ersten Blick wie ein abgekapselter Erguß imponieren. Achtet man auf die deutliche Kapseldarstellung, auf Form und Atemverschieblichkeit, so ergeben sich weitere Unterscheidungskriterien.

In die sonographische Beurteilung pleuraler Prozesse sind neben dem Röntgenbild auch ultraschallgeführte Verlaufsbeobachtungen miteinzubeziehen, was die Wertigkeit dieser dynamischen, beliebig wiederholbaren Untersuchungsmethode steigert.

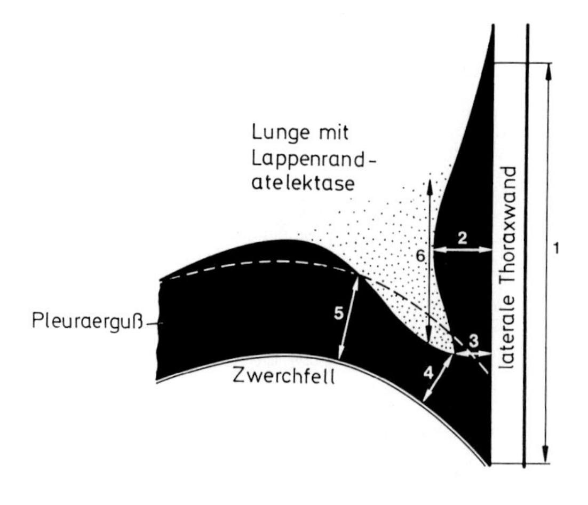

Abb. 3.5. Schematische Darstellung der sonographischen Pleuraergußvolumetrie beim sitzenden Patienten nach Goecke und Schwerk (1990). Brauchbare Parameter sind 1. die maximale Ergußausdehnung, 4. der basale Lungen-Zwerchfell-Abstand und 5. die subpulmonale Ergußhöhe. Weitere Erläuterungen s. Text

3.4 Volumetrie von Pleuraergüssen

Im klinischen Alltag ist oft ein einfaches, nichtinvasives und preiswertes Untersuchungsverfahren zur Volumetrie von Pleuraergüssen erwünscht. Kein bildgebendes Verfahren ermöglicht eine genaue Messung des Ergußvolumens, es sind lediglich Schätzungen möglich.

Da der Pleuraerguß vielgestaltig ist und sich im dorsalen Rezessus beginnend, nach laterobasal ausbreitet, dann subpulmonal und an der Thoraxwand sehr unterschiedlich ausdehnt, ist eine genaue Bestimmung des Volumens mit einfachen Formeln wie jener des Rotationsellipsoids, das beispielsweise für die Schilddrüse oder die Prostata angewandt wird, nicht möglich. Überdies hat der individuelle Habitus des Probanden, sei es durch pyknische oder schlanke Gestalt des Brustkorbes oder durch Emphysem, weiteren Einfluß auf Lage und Ausdehnung der intrapleuralen Flüssigkeitsansammlung.

Jedoch gibt es einige Parameter und daraus abgeleitete Näherungsformeln, die eine recht präzise Abschätzung des Ergußvolumens erlauben.

An ***sitzenden Patienten*** wurde von Goecke und Schwerk (1990) folgende Methode einer sonographischen Ergußvolumensbestimmung vorgestellt (Abb. 3.5):

1. Die „maximale Ergußhöhe" bezeichnet die größte kraniokaudal meßbare Ergußausdehnung entlang der inneren Thoraxwand.

2. Die „maximale Ergußdicke" definiert den größten Abstand zwischen der inneren Thoraxwand und der Lungenoberfläche.
3. Der „basale Lungen-Thoraxwand-Abstand" ist gekennzeichnet durch den Abstand zwischen Thoraxwand und basalem peripherem Lungenrand.
4. Der „basale Lungen-Zwerchfell-Abstand" stellt die kürzeste Verbindungslinie zwischen Zwerchfell und basalem peripheren Lungenrand dar.
5. Zur Bestimmung der „subpulmonalen Ergußhöhe" wird versucht, eine „gemittelte" Linie durch die diaphragmale Lungenbegrenzung etwa parallel zum Zwerchfell zu legen. Der Abstand dieser Linie vom Zwerchfell wird als „subpulmonale Ergußhöhe" bezeichnet.

Zur Abschätzung des Ergußvolumens am sitzenden Patienten eignen sich demnach

- die „maximale Ergußhöhe" (r = 0,68)
- der „basale (=periphere) Lungen-Zwerchfellabstand" (r = 0,65)
- die „subpulmonale Ergußhöhe" (r = 0,59) mit vertretbarer Korrelation zu abpunktierten Ergußvolumen. Die laterale Ergußbreite allein (r = 0,1) zwischen der Thoraxwand und der Lunge ist zur Volumeneinschätzung ungeeignet.

Folgende Formel wurde anhand der linearen Regressionskurve zur Volumenschätzung (!) abgeleitet, wobei die Berücksichtigung zweier geeigneter Meßgrößen die Genauigkeit entsprechend erhöht:

Pleuraergußvolumen (in ml) = 70 × (basaler peripherer Lungen-Zwerchfell-Abstand in cm + maximale. Ergußhöhe in cm).

Bei einem Korrelationskoeffizienten von r = 0,87 liegt der Voraussagefehler auch mit diesen Berechnungen bei 200–300 ml bei größeren Ergußvolumina.

Mißt man die subpulmonale Ergußhöhe von der Zwerchfellkuppel zum Lungenunterrand und die kraniokaudale Ergußausdehnung, läßt sich das Ergußvolumen ausreichend abschätzen. Im klinischen Alltag genügt es, beispielsweise bei Therapiekontrolle eines kardialen Stauungsergusses den Erguß als „wenig, mäßig oder reichlich" zu quantifizieren und dann den jweiels aktuellen Wasserstand zu messen.

Am ***liegenden Patienten*** haben Börner, Lorenz, Kelbel und Nikolaus Volumensbestimmungen durchgeführt, die auf planimetrischen

Ergußflächenmessungen basieren (Börner et al. 1987; Lorenz et al. 1988).

Es wird dabei beispielsweise in 6 vertikalen Schnittebenen von dorsal nach ventral (in der Paravertebrallinie, in der Mitte zwischen Paravertebrallinie und hinterer Axillarlinie, in der hinteren, mittleren und vorderen Axillarlinie sowie in der Medioklavikularlinie) die planimetrische Ergußfläche bestimmt, daraus das arithmetische Mittel errechnet und mit dem mit Hilfe eines Maßbandes gemessenen horizontalen Ergußumfang und einem empirischen Korrekturfaktor (k=0,89) multipliziert:

$$V = A \cdot U \cdot k$$

A = gemittelte Ergußfläche, U = horizontaler Ergußumfang. Mit dieser Formel wird ein sehr hoher Korrelationskoeffizient von $r = 0{,}985$ erzielt, allerdings bei einer noch kleinen Patientengruppe. Außerdem ist dieses Verfahren für den klinischen Alltag zu aufwendig.

Statt 6 vertikale Ergußflächen auszumessen, scheint es einfacher und fast ebenso zielführend, die größte vertikale Ergußfläche (= Fq) zu planimetrieren und das Ergußvolumen (V) wie folgt zu berechnen (Abb. 3.6 und 3.7):

$$V = 2/3 \cdot Fq \cdot Ls \text{ (= kranio-kaudale Ergußausdehnung)}$$

Eine Alternative zur planimetrischen Ergußmessung am liegenden Patienten stellt die einfache Messung des Abstandes von dorsaler Lunge und dorsaler Thoraxwand dar. Damit wurde auch eine deutlich bessere Korrelation ($r = 0{,}80$) zur tatsächlich punktierten Ergußmenge gesehen als mit seitlicher Thoraxröntgenaufnahme ($r = 0{,}58$) (Eibenberger et al. 1994).

Sensitive radiologische Verfahren wie die Computertomographie bieten in der Pleuraergußvolumetrie wegen des Zeitaufwandes, der damit verbundenen Strahlenbelastung und der hohen Kosten keine Alternative.

Die sonographischen Berechnungsmodelle sollten noch weiter untersucht und erhärtet werden. Taugliche Formeln könnten dann rechnergestützt einfach eingesetzt werden.

Zweifellos erlauben einem erfahrenen Untersucher

- die Messung der kraniokaudalen Ergußausdehnung und
- die Bestimmung der subpulmonalen Ergußhöhe

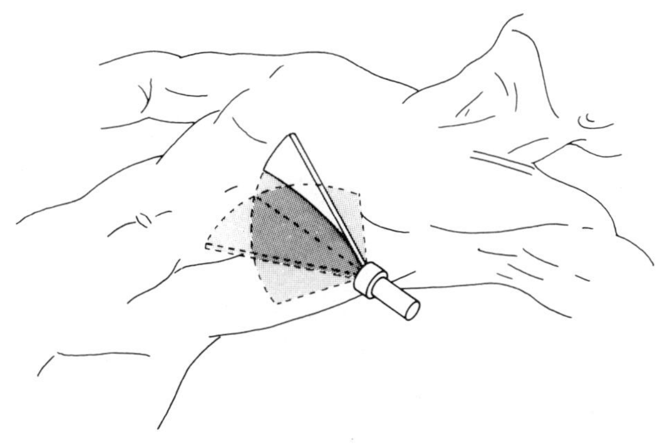

Abb. 3.6. Pleuraergußschätzung beim liegenden Patienten (Börner et al. 1987)

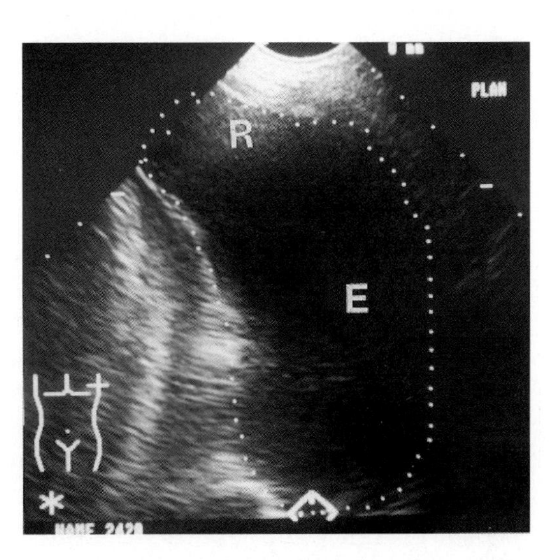

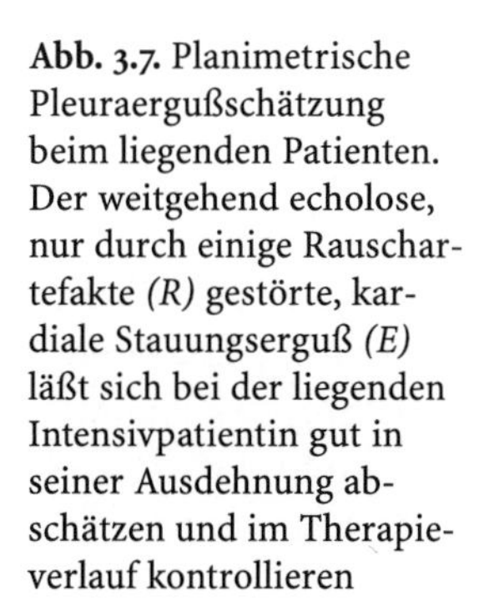

Abb. 3.7. Planimetrische Pleuraergußschätzung beim liegenden Patienten. Der weitgehend echolose, nur durch einige Rauschartefakte *(R)* gestörte, kardiale Stauungserguß *(E)* läßt sich bei der liegenden Intensivpatientin gut in seiner Ausdehnung abschätzen und im Therapieverlauf kontrollieren

- in Kombination mit der planimetrischen Bestimmung der maximalen vertikalen

Ergußfläche eine für den klinischen Alltag ausreichende Volumeneinschätzung.

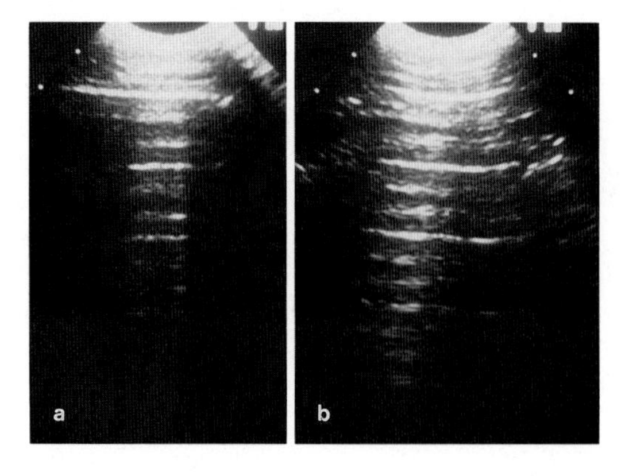

Abb. 3.8 a, b. Pneumothorax. Auf der linken, gesunden Seite (**a**) sind ein atemverschieblicher Pleurareflex und deutlich weniger Wiederholungsechos zu sehen. An der Pneumothoraxseite (**b**) sind die Wiederholungsechos verstärkt und es läßt sich keine Atembewegung darstellen

3.5 Pneumothorax

Der Pneumothorax wird aufgrund des klinisch-physikalischen Verdachts in aller Regel radiologisch bestätigt. Doch kann insbesondere beim schwer traumatisierten Patienten bereits im Notarztwagen oder im Schockraum die Diagnose auch sonographisch erhärtet werden, so daß ohne Zeitverlust unmittelbar eine Drainage gelegt werden kann.

Luft im Pleuraraum läßt sich sonographisch auf zwei Arten erkennen:

Bei einem ***Mantelpneumothorax*** sind die in der Lunge üblichen Wiederholungsechos auf der betroffenen Seite verstärkt, ein exakter Seitenvergleich ist unabdingbar. Die Atemverschiebung des Pleurareflexbands fehlt oder dämmert in der Tiefe des Bildes.

Ein ***ausgedehnter Pneumothorax***, der bei vitaler Bedrohung sofort zu drainieren ist, bietet folgende Kriterien:

- Das pleurale Reflexband ist verbreitert.
- Es fehlt die Atemverschieblichkeit des pleuralen Reflexbands.
- Die subpleuralen Wiederholungsechos fehlen (Abb. 3.8).

Neben dem Pneumothorax können auch Hämatothorax, Hämatoperikard und Zwerchfellrupturen rasch gesehen werden.

Gerade beim Thoraxtrauma bietet die Sonographie noch zuwenig genutzte Vorteile gegenüber der konventionellen Röntgendiagnostik. Mit einer mobilen Untersuchungseinheit ist das Resultat ohne die Zeitverzögerung durch Bildentwicklung sofort sichtbar, Verlaufskontrollen sind unter Reduktion der Röntgenstrahlenbelastung jederzeit möglich.

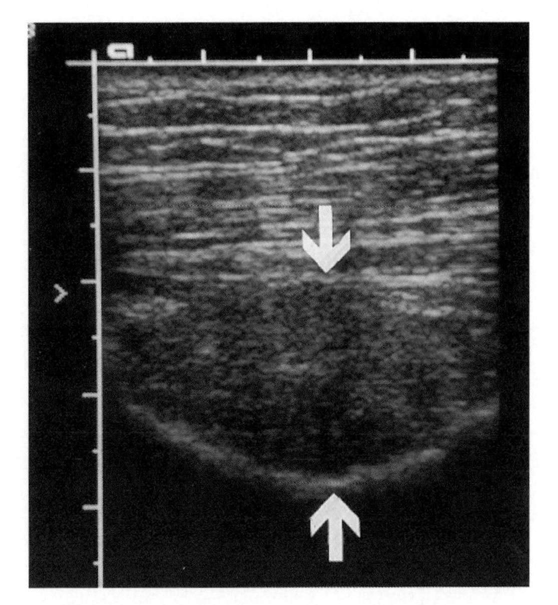

Abb. 3.9. Subpleurales Fibrolipom (6 × 1,8 cm). Durch Beobachtung der Atemexkursionen kann es gut der parietalen Pleura zugeordnet werden. Die Diagnosesicherung erfolgte durch US-geführte Biopsie, unverändert im Verlauf durch 3 Jahre

Die zielführende US-Bildgebung ist auch intraoperativ einsetzbar (Blank u. Braun 1989; Wernecke et al. 1989; Walz 1990; Targhetta 1993).

3.6 Pleuramesotheliome

Benigne Mesotheliome mit fibrolipomatösem Gewebsaufbau kommen als sehr echoarme, homogene Gebilde zur Darstellung. Sie sind gerundet, scharf begrenzt und weisen eine realtiv breite, echodichte Kapsel auf (Abb. 3.9 und 3.10).

Bei der bioptischen Diagnostik benigner Mesotheliome kann es schwierig sein, ausreichendes Gewebsmaterial zu gewinnen. Wir haben in einem Fall nach zwei erfolglosen Biopsien mit der Schneidbiopsiefeinnadel und der Silverman-Hausser-Nadel erst im 3. Versuch mit einer Menghini-Nadel ausreichend Gewebe zur Diagnosesicherung gewonnen. Bei der Punktion wurde ein federnder Widerstand verspürt. Die Kapsel des Mesothelioms und das weiche Gewebe können wohl nur mit einem weitlumigeren Schneidinstrument mittels Punktion durchdrungen werden.

a

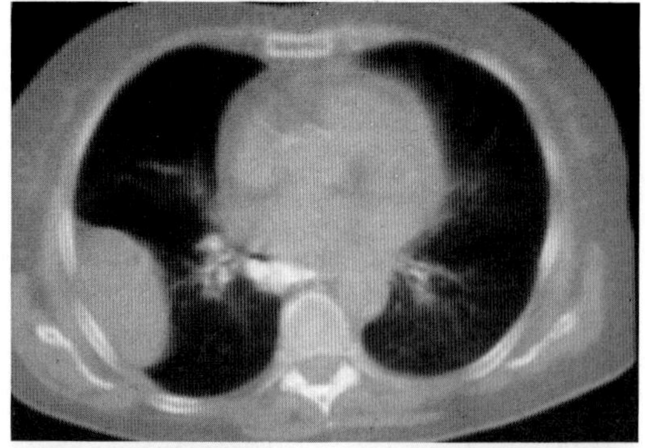

b

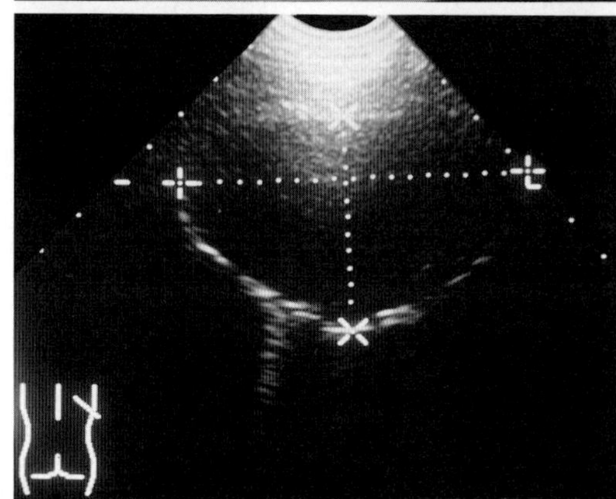

Abb. 3.10 a, b. Gutartiges, 75 × 44 mm messendes Pleuramesotheliom im CT-Bild (**a**) und im US-Bild (**b**): der weitgehend echolose Herd ist von einer echodichten Kapsel begrenzt. In den oberen Bildanteilen finden sich Eintrittsechos, die als Artefakte zu werten sind. Der Befund ist in Kontrollen über 4 Jahre unverändert. Über die Schwierigkeiten bei US-geführter Punktion s. Text

Maligne Pleuramesotheliome bieten sonographisch ein vielgestaltiges Bild. Es kommt zu echoarmen, inhomogen strukturierten Pleuraverdickungen, die unterschiedliche, manchmal auch bizarre Konfigurationen aufweisen. Unterschiedliche Mengen an Pleuraerguß begleiten die Erkrankung, der Erguß kann auch Binnenechos aufweisen. Er kann so eiweißreich sein, daß er in der Computertomographie nicht von soliden Strukturen abzugrenzen ist (Abb. 3.11).

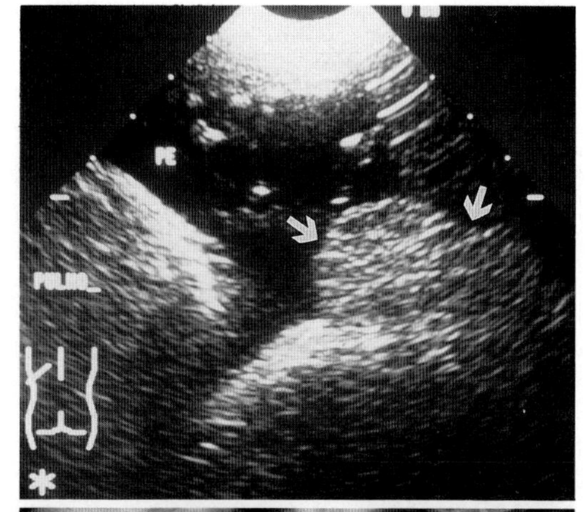

a

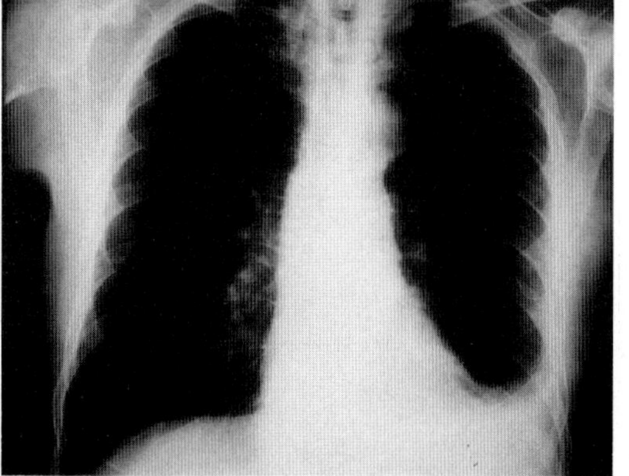

b

Abb. 3.11. a Malignes Pleuramesotheliom im Sonogramm. Im Pleuraerguß finden sich einzelne Binnenechos. Klein- und grobknotige, wie auch flächige Tumorbildungen lassen sich sonographisch gut abgrenzen. Die Diagnose wurde durch US-geführte Biopsie gesichert. **b** Im Thoraxröntgen sind auch nach Punktion solide von liquiden Strukturen nicht zu differenzieren, was eine diagnostische Punktion erschwert.
Auch in der Computertomographie ist aufgrund der hohen Ergußdichte eine Differenzierung zwischen liquide und solide kaum möglich

3.7 Pleurametastasen

Pleurametastasen kommen in zwei verschiedenen Formen sonographisch zur Darstellung:

Eine intrakavitäre, pleurale Aussaat manifestiert sich als dichte oder mäßig echodichte, körnige, kleinknotige Auflagerungen an der Thoraxinnenwand, an der Zwerchfellpleura und an der Pleura visceralis. Bei reichlichem Erguß imponieren die Auflagerungen auf der Lunge besonders echodicht, manchmal ist die Lungenpleura auch nur verdickt. In anderen Fällen lassen sich dicke Tumorauflagerungen einsehen (Abb. 3.12 und 3.13).

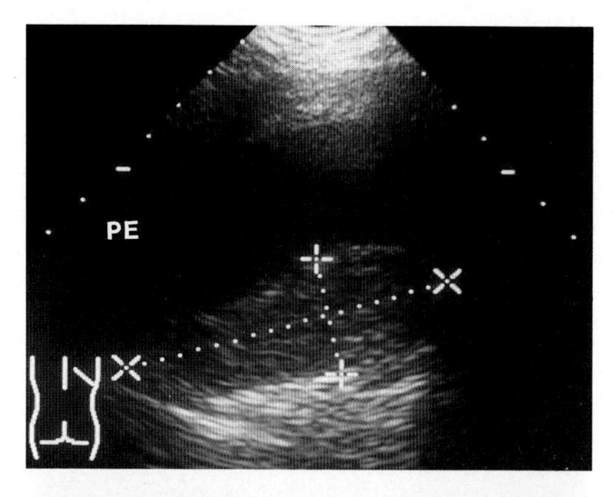

Abb. 3.12. Große (77 × 28 mm) Metastase eines Mammakarzinoms, die an der viszeralen Pleura aufliegt. Die Echogenität solcher Metastasen wird vom Ausmaß des Pleuraergusses *(PE)* mitbeeinflußt. Im Röntgenbild läßt sich häufig nur der Pleuraerguß darstellen. Sonographisch geführte Therapiekontrollen sind einfach und effizient

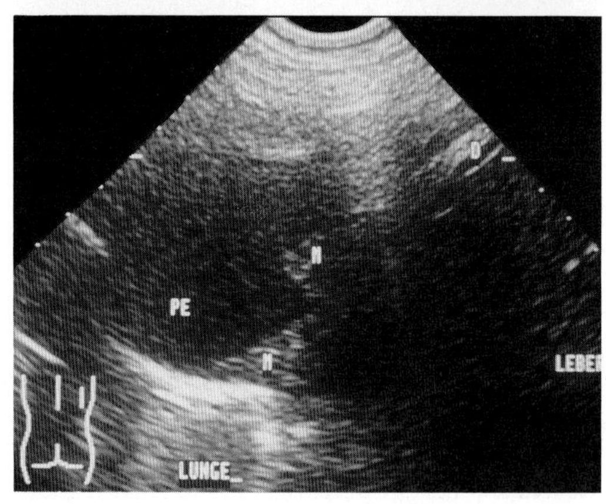

Abb. 3.13. Kleinknotige Metastasen *(M)* eines Ovarialkarzinoms an der Pleura diaphragmatica (intrakavitäre Ausbreitung). *D* = Zwerchfell, *PE* = Pleuraerguß. Der hämorrhagische Erguß enthält schleierartige Binnenechos. Radiologisch ist lediglich der Erguß zu sehen

Die Pleura diaphragmatica ist, oft auch über den abdominalen, transhepatischen oder translienalen Zugang, gut einsehbar, metastatisch verdickt, höckrig oder zeigt eine regelrechte Metastasenplatte (Abb. 3.14).

Bei lymphogener Aussaat kann sich eine Pleurakarzinose als kleine, in die Lunge infiltrierende Läsionen zeigen. Diese sind echoarm und können auf den ersten Blick wie Lungeninfarkte imponieren. Sie sind aber spitzwinkliger, fransig und unregelmäßig, aber scharf begrenzt. Eine definitive Diagnose wird sich auch bei diesen Bildern aus Punktion und Verlauf ergeben (Abb. 3.15).

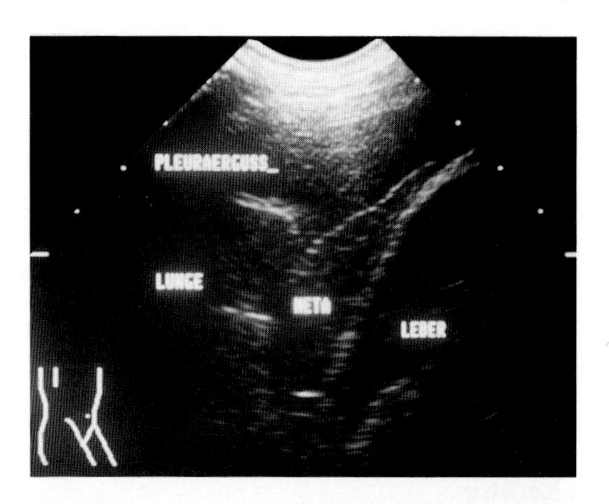

Abb. 3.14. Bis zu knapp 2 cm dicke Metastasenplatte eines Endometriumkarzinoms auf dem Zwerchfell aufgelagert. Auch diese soliden Strukturen sind im Röntgenbild nicht sichtbar, da pleurale tumoröse Läsionen radiologisch die gleiche Dichte wie der Erguß aufweisen

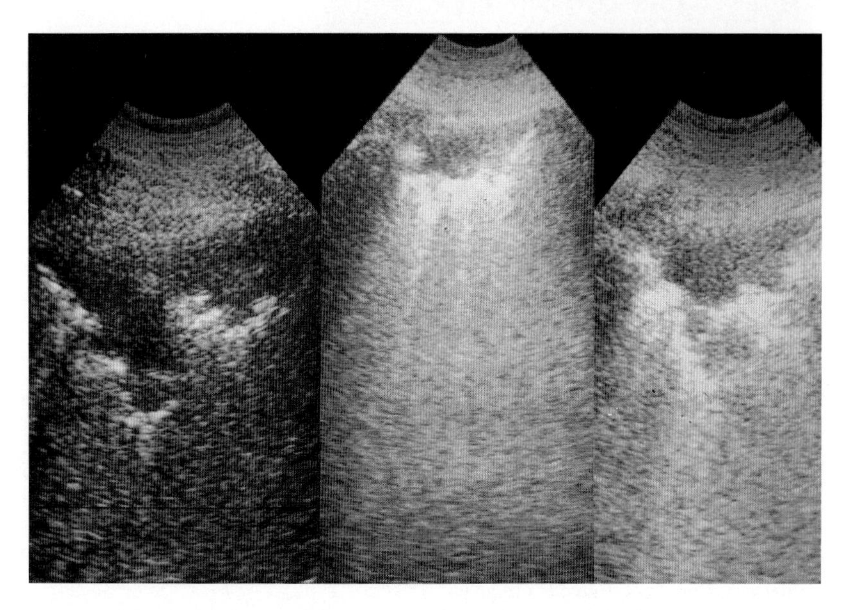

Abb. 3.15. Scharf, aber unregelmäßig begrenzte, echoarme Herde, die von der Pleura in die Lunge infiltrieren (lymphogene Ausbreitung). Sie messen 1,5–4 cm und haben fransige Ausläufer. Zunächst wurden sie – aufgrund des kurzfristig aufgetretenen, dramatischen klinischen Bilds – als Lungeninfarkte fehlinterpretiert. Die Autopsie zeigte, daß es sich um Metastasen eines Mammakarzinoms handelte. Die Bildqualität ist durch schlechte Dokumentationsmöglichkeit (Printerbild) aus einer Untersuchung am Krankenbett vermindert

Zusammenfassung

Der besondere Wert der Ultraschalluntersuchung des Pleuraraumes liegt in der Detektion und Volumenabschätzung von pleuraler Flüssigkeit. Während Stauungsergüsse in aller Regel echolos sind, kann zwischen entzündlichen und malignen Ergüssen sonographisch nur differenziert werden, wenn sich auch solide Absiedlungen an der Pleura nachweisen lassen. Falls erforderlich ist eine ultraschallgeführte Punktion oder Biopsie diagnostisch und therapeutisch zielführend.

Literatur

Blank W, Braun B (1989) Ultraschalldiagnostik bei Pneumothorax. Ultraschall Klin Prax Suppl 1:66

Börner N, Klebel C, Lorenz J, Weilemann LS, Meyer J (1987) Sonographische Volumetrie und Drainage von Pleuraergüssen. Ultraschall Klin Prax 2:148–152

Eibenberger KL, Dock WI, Ammann ME, Dorffner R, Hörmann MF, Grabenwöger F (1994) Quantification of pleural effusions: sonography versus radiography. Radiology 191:681–684

Goecke W, Schwerk WB (1990) Die Real-Time Sonographie in der Diagnostik von Pleuraergüssen. In: Gebhardt J et al. (Hrsg) Ultraschalldiagnostik '89. Springer, Berlin Heidelberg New York Tokyo S 385–387

Görg C, Schwerk WB, Görg K, Walters E (1991) Pleural effusion. an „acoustic window" for sonography of pleural metastases. J Clin Ultrasound 19:93–97

Gryminski J, Krakowa P, Lypacewiz G (1976) The diagnosis of pleural effusion by ultrasonic and radiologic techniques. Chest 70:33–37

Hirsch J, Rogers JV, Mack LA (1981) Realtime sonography of pleural opacities. AJR 136:297–301

Kelbel C, Börner N, Schadmand S, Weilemann L S (1990) Diagnostik von Pleuraergüssen bei intensivpflichtigen Patienten: Sonographie und Radiologie im Vergleich. In:Gebhardt et al. (Hrsg) Ultraschalldiagnostik '89. Springer Berlin Heidelberg New York Tokyo S 383–384

Kelbel C, Börner N, Schadmand S, Klose KJ, Weilmann LS, Meyer J Thelen M (1991) Diagnostik von Pleuraergüssen und Atelektasen: Sonographie und Radiologie im Vergleich. ROFO 154/2:159–163

Loddenkemper R (1992) Diagnostik der Pleuraergüsse. Dtsch med Wschr 117:1487–1491

Lorenz J, Börner N, Nikolaus HP (1988) Sonographische Volumetrie von Pleuraergüssen. Ultraschall Med 9:212–215

McLoud T, Flower CD (1991) Imaging the pleura: sonography, CT, and MRI imaging. AJR 156:1145–1153

Müller NL (1993) Imaging of the pleura. Radiology 186:297–309

Reuß J, Schneider H (1992) Thoraxwandprozesse und Lungenverschattungen. In: Rettenmaier G und Seitz K (Hg) Sonographische Differentialdiagnostik, Bd. 2. edition medizin, S 803–832

Schwerk WB, Görg C (1993) Pleura und Lunge. In Braun et al. : Ultraschalldiagnostik Lehrbuch und Atlas. ecomed III/2.2 S 8–28

Targhetta R, Bourgeois JM, Chavagneux R, Marty-Double C, Balmes P (1992) Ultrasonographic approach to diagnosing hydropneumothorax. Chest 101:931–934

Targhetta R, Bourgeois JM, Chavagneux R, Coste E, Amy D, Balmes P, Pourcelot L (1993) Ultrasonic signs of pneumothorax: preliminary work. J Clin Ultrasound 21:245–250

Walz M, Muhr G (1990) Sonographische Diagnostik beim stumpfen Thoraxtrauma. Unfallchirurg 93:359–363

Wernecke K, Galanski M, Peters PE (1989) Sonographische Diagnostik des Pneumothorax. ROFO 150:84–85

Yang PC, Luh KT, Chang DB, Wu HD, Yu CJ, Kuo SH (1991) Value of sonography in determining the nature of pleural effusion: analysis of 320 cases. AJR 159:29–33

Yu CJ, Yang PC, Wu HD, Chang DB, Kuo SH, Luh KT (1993) Ultrasound study in unilateral hemithorax opacification. Image comparison with computed tomography. Am Rev Resp Dis 147:430–434

4 Lungentumoren

Periphere Lungenherde, die der bronchoskopischen Abklärung unzugänglich sind, bereiten häufig diagnostische Schwierigkeiten. Auch die bronchoalveoläre Lavage ist mitunter nicht zielführend. Die entscheidende Voraussetzung, daß ein peripherer Lungenherd sonographisch eingesehen werden kann, ist gegeben, wenn dieser an die viszerale Pleura heranreicht.

4.1 Sonomorphologie von Lungenkarzinomen und Metastasen

Periphere Lungenkarzinome kommen sonographisch als echoarme oder mäßig echodichte Gebilde zur Darstellung. Sie sind überwiegend rund oder oval, manchmal auch polizyklisch (Abb. 4.1). Am Rand weisen sie bisweilen fransige und füßchenförmige Ausläufer, Tumorzapfen und Krebsfüßchen, auf (Abb. 4.2). Bei Adenokarzinomen kann auch ein diffus oder fingerförmig infiltrierendes Wachstum gesehen werden. Letzteres konnten wir auch bei epidermoiden Bronchuskarzinomen beobachten. Bei kleinzelligen Karzinomen kann der Randsaum echoärmer sein als das Zentrum des Tumors. Dieser echoarme Anteil entspricht möglicherweise rasch wachsenden Tumoranteilen (Abb. 4.3). Das Ansprechen auf Chemotherapie bei kleinzelligen Bronchuskarzinomen läßt sich sonographisch gut dokumentieren. In großen Karzinomen können echolose Nekrose- und Enschmelzungszonen beobachtet werden (Abb. 4.4).

Der weiße Hemithorax, in dem oft ein Karzinom als Ursache liegt, ist sonographisch oft rasch zu klären, indem Flüssigkeit von soliden Strukturen unterschieden wird (Abb. 4.5). Kalkeinlagerungen in peripheren Lungenherden bilden sehr echodichte Reflexe mit Schallschatten, was aber nicht als Benignitätskriterium gewertet werden kann, da

a

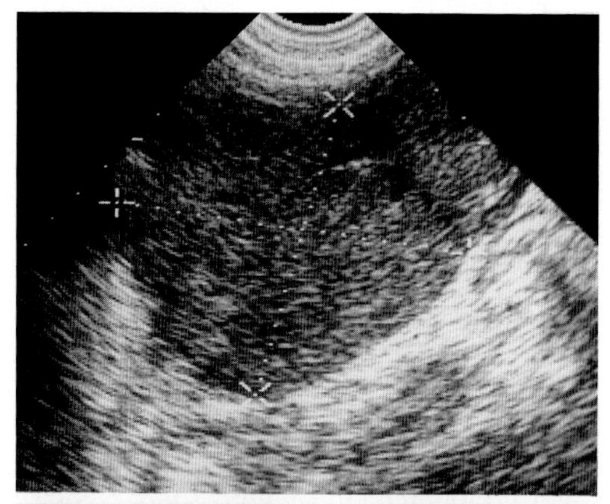

b

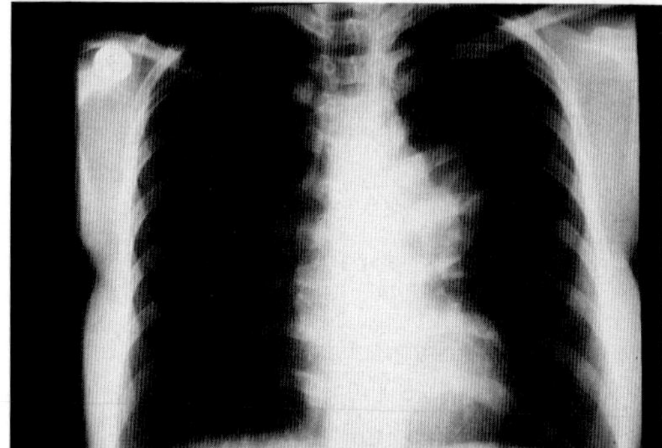

Abb. 4.1. a Großes, kleinzelliges Bronchuskarzinom im anterobasalen, linken Lungenoberlappen. Die polyzyklische Wuchsform zeigt sich in echodichteren Rundherden mit echoarmem Rand. Die Diagnose wurde durch US-gezielte Feinnadelschneidbiopsie gestellt. **b** Throaxröntgenaufnahme dieses Tumors

bis zu 13% der radiologisch kalkhaltigen Herde letzlich Malignome sind (Turner et al. 1987).

Wenn auch die Größe des peripheren Lungenherds mit der Malignitätsrate korrelliert, sollen ohne Vorliegen eines histologischen Befunds keine verharmlosenden Unterschätzungen erfolgen, um nicht wertvolle Zeit für eine kurative Behandlung zu verlieren. Auch in der sonographischen Bildgebung ist bei Dignitätsaussagen größte Vorsicht geboten. So hat sich bei uns ein radiologisch und sonographisch maligne verdächtigter Herd autoptisch als altes Tuberkulom gezeigt. Im Gegensatz zur Pneumonie weist das Karzinom kaum ein Bronchoaerogramm auf.

Tumorinfiltrationen in den Pleuraraum oder in die Thoraxwand lassen sich im Ultraschall besser abgrenzen als im konventionellen Thoraxröntgen (Abb. 4.6). Ob eine Infiltration der Brustwand vorliegt, ist

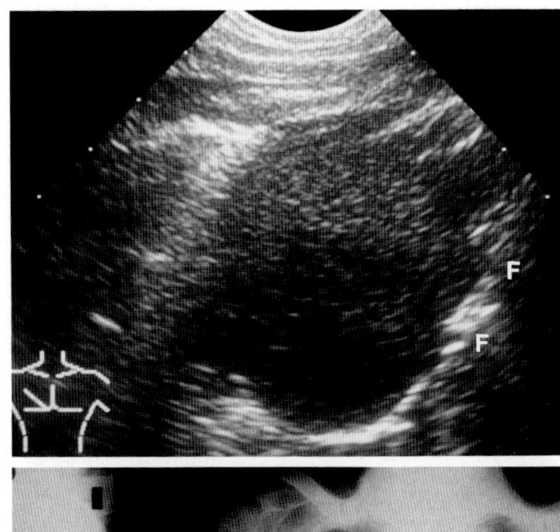

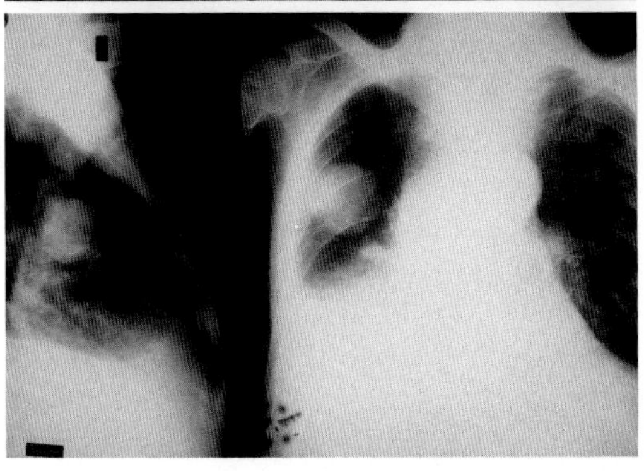

Abb. 4.2. a 7 × 5 cm großes Adenokarzinom im rechten Lungenoberlappen mit typischen fransigen Ausläufern *(F)*, auch Krebsfüßchen oder Tumorzapfen genannt. Diagnose-Stellung durch US-geführte Punktion. **b** Röntgenaufnahme

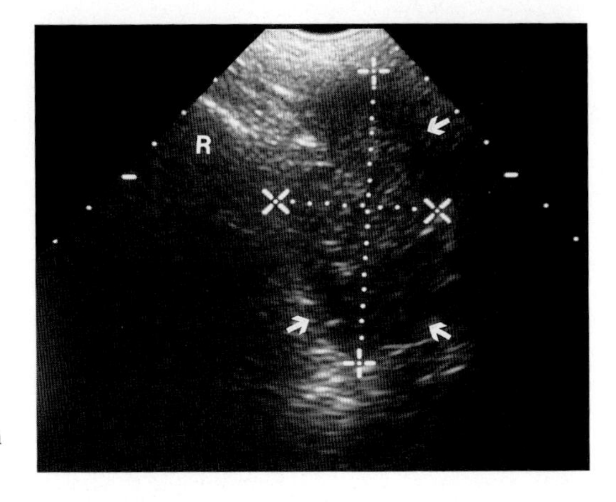

Abb. 4.3. Kleinzelliges Bronchialkarzinom an der rechten Lungenspitze. Sonographischer Zugang durch die obere Thoraxapertur. Das Zentrum ist mäßig echodicht, der echoarme Randsaum (→) könnte der rasch wachsenden Tumorfraktion entsprechen. *R* = Rippenschallschatten. Diagnose-Sicherung mittels US-gezielter Punktion. Das Ansprechen auf Chemotherapie läßt sich sonographisch gut verfolgen

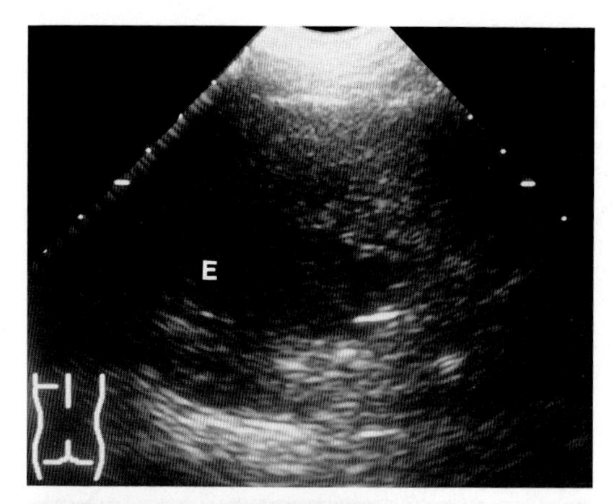

Abb. 4.4. Großes, epidermoides Bronchialkarzinom im linken Lungenunterlappen, sonographischer Zugang interkostal am Rükken. Im Zentrum des Tumors findet sich eine bizarr geformte, echolose Einschmelzungszone *(E)*. Die Abgrenzung liquider Areale von soliden erlaubt eine gezieltere Biopsie als unter Röntgensicht

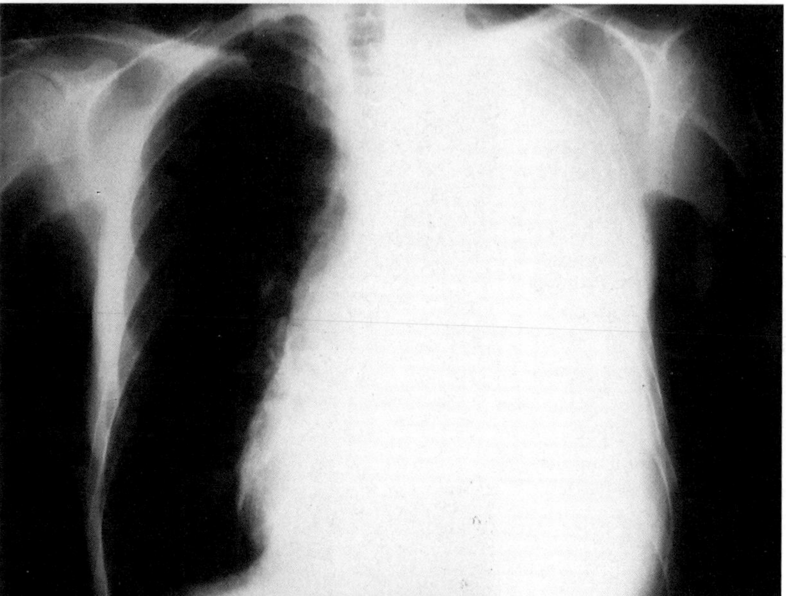

4.5 a

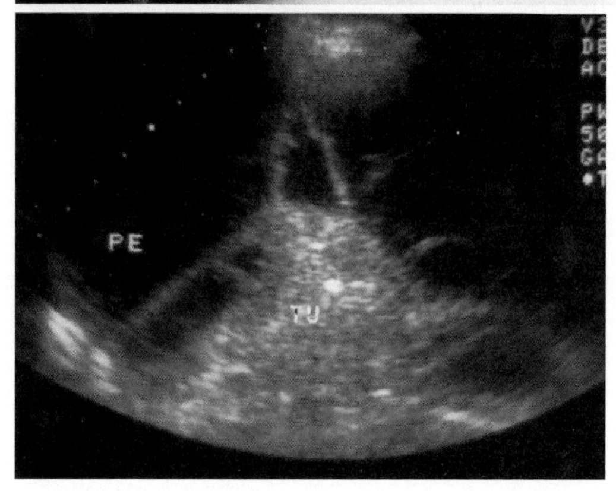

b

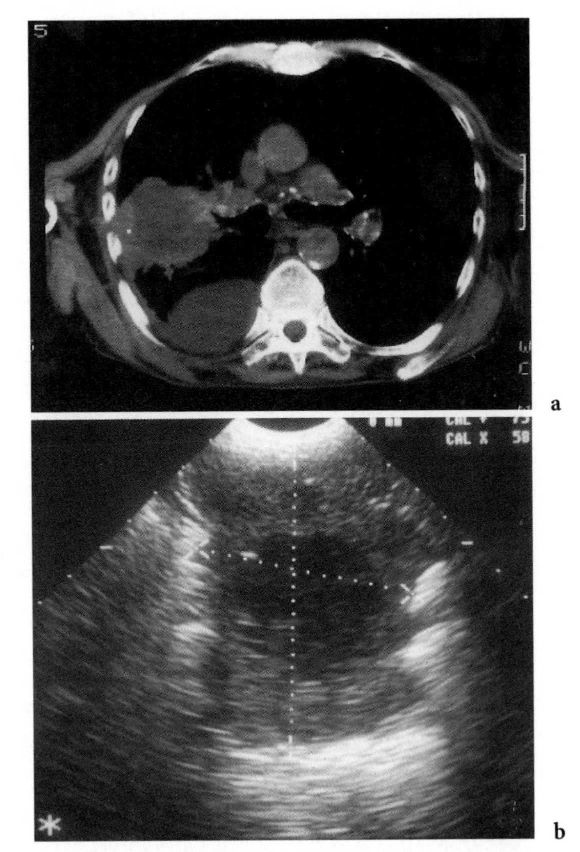

a

b

Abb. 4.6. a Computertomographisch zeigt sich ein an die Pleura reichender Tumor mit großer zentraler Einschmelzung. **b** In ähnlicher Weise, mit etwas anderer Schnittführung, kommt das Karzinom im Ultraschall zu Bild. Diagnosesstellung durch US-geführte Biopsie

sonographisch meist besser zu sehen als in der Computertomographie. Bei fehlender Atemverschieblichkeit kann der Tumor an der Thoraxwand haften, das pleurale Reflexband ist destruiert. Da das Herz ein gutes Schallfenster darstellt, können auch Tumoreinbrüche in den Herzbeutel eingesehen werden. Bei ***Pancoast-Tumoren*** kann die Infiltration in die Subklaviagefäße und Muskeln des Thorax gut beurteilt werden. Die ultraschallgeführte Punktion bzw. Biopsie führt in 79–98% zu einer definitiven Diagnose.

◀ **Abb. 4.5. a** Weißer Hemithorax im Röntgenbild. Was ist liquide, was ist solide? **b** Das Sonogramm zeigt einen ausgedehnten gekammerten Pleuraerguß *(PE)* und im Zentrum den Tumor *(TU)*, als kleinzelliges Bronchialkarzinom verifiziert

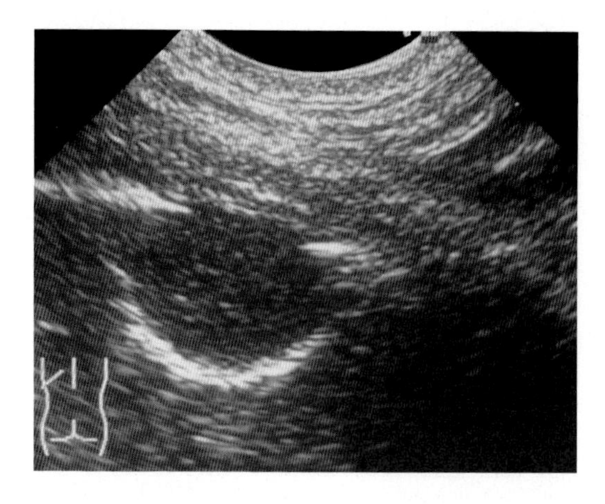

Abb. 4.7. 2,5 cm große, subpleurale Lungenmetastase eines Nierenkarzinoms. Die Metastase wölbt sich zwar in den Pleuraraum vor, er ist aber gut atemverschieblich, wodurch eine Infiltration in die parietale Pleura ausgeschlossen werden kann

Die ***Vaskularisation*** des Tumors läßt sich mit farbkodierter ***Duplexsonographie*** in zwei Drittel beobachten, wobei Malignome signifikant niedrigere Pulsatilitäts- und Resistenzindizes, sowie geringere systolische und diastolische Flußgeschwindigkeiten aufweisen als benigne Lungenherde (Yuan et al. 1994). Bei epidermoiden Karzinomen läßt sich seltener ein Flußsignal abnehmen als bei kleinzelligen oder drüsigen Karzinomen. Farbdopplersonographisch ist das Durchblutungsmuster irregulär, vermehrt am Tumorrand und deutlich schwächer als bei Pneumonien, die vor allem zentral gut durchblutet sind (Gehmacher u. Mathis 1994).

Periphere ***Lungenmetastasen*** sind rund, oval und echoarm (Abb. 4.7), ähnlich primären Lungenkarzinomen, während ***Pleurametastasen*** eher triangulär, fransig oder pfeilförmig einwachsen, bei intrakavitärer Ausbreitung auch knotig aufgelagert. Echodichte Lungenmetastasen sind selten.

Zwerchfellipome weisen ein echoarmes, scharf begrenztes Echomuster auf, das von parallel verlaufenden, echodichten Septen durchsetzt ist. Dieses Bild erscheint so typisch, daß auf weitere Untersuchungen mit CT oder MR verzichtet werden kann.

Andere ***mesenchymale Tumoren*** (Hämangiofibrome, Hamartome) können aufgrund ihrer Echoleere wie ein abgekapselter Erguß imponieren. Hier hilft das CT zur Differenzierung weiter.

Zysten haben einen glatten Rand mit echolosem Inhalt. Bronchogene Zysten, Perikardzysten und Echinokokkuszysten sind von einem abgekapselten Pleuraerguß abzugrenzen, was durchaus schwierig sein kann.

Bei Neugeborenen, Säuglingen und Kleinkindern lassen sich ***Neuroblastome*** als echoinhomogene Tumoren sonographisch gut darstellen und rechtzeitig einer entsprechenden Therapie zuführen (Greiner et al. 1990). Angeborene, an die Peripherie reichende Lungenmißbildungen werden bei Säuglingen mit Atemnot mittels Ultraschall leicht diagnostiziert.

Die pulmonale ***Sequestration*** zeigt eine leberähnliche Echotextur sowie weite arterielle und venöse Gefäße (Gudinchet u. Anderegg 1989). Mittels Dopplersonographie kann die zuführende Arterie mit dem typischen Flußmuster identifiziert und die Diagnose gesichert werden, ehe der Patient einer Angiographie unterzogen wird (Yuan et al. 1992).

Bei der ***bronchoalveolären Lavage***, die mit Hilfe eines fiberoptischen Endoskops durchgeführt wird, kann der Ultraschall eine weitere Hilfe geben. Dabei kann kontrolliert werden, ob die instillierte Flüssigkeit auch die Peripherie erreicht und das gewünschte Segment gefüllt ist. Damit werden Durchleuchtungen vermieden, die Patienten und Untersucher belasten und das Fiberendoskop schädigen (Sommergutter und Borkenstein 1983).

Die Tumordiagnostik bietet für den Ultraschaller ein weites Betätigungsfeld, wobei die Sonographie andere bildgebende Verfahren sinnvoll ergänzen und diese in entsprechenden Fällen auch ersetzen kann.

Sonomorphologie von Lungentumoren

- rund/oval/polyzyklisch
- meist scharf begrenzt
- Krebsfüßchen/Tumorzapfen
- Einschmelzungszonen
- irreguläre Durchblutung

4.2 Ultraschallgeführte transthorakale Punktionen

Zur Abklärung pleuraler und peripherer Lungenherde wird die transthorakale Punktion und Biopsie unter biplaner Röntgendarstellung oder unter computertomographischer Führung in breitem Ausmaß

Tabelle 4.1. Ultraschallgeführte Punktionen peripherer Lungenherde

Autor	Jahr	Patienten	Nadeldicke	Sensitivität [%]	Pneumothorax
Bradley et al.	1991	30	?	90	0
Cinti et al.	1984	12	22–23 G	83	0
Heckemann	1988	42	?	98	3 = 6
Ikezoe et al.	1984	38	19–21 G	79	0
Ikezoe et al.	1990	124	19–21 G	*90/67	5 = 4
Izumi et al.	1982	20	21 G	80	0
Mathis u. Dirschmid	1995	103	18–19 G	*94/65	1 = 1
Metz et al.	1993	41	18–19 G	84.6	2 = 5
Pang et al.	1987	54	15 G	85	2 = 4
Pedersen et al.	1986	45	18–23 G	84	1 = 2
Schwerk et al.	1982	15	20–22 G	93	1 = 7
Targhetta et al.	1992	64	20 G	86	2 =3
Vogel	1995	110	?	70	4 = 3,6
Yang	1985	25	18–22 G	84	2 = 8
Yang	1992	218	16 G	95	3 = 1,3
Yuan	1992	30	22 G	*92/83	1 = 3
Total		971			27 = 2,8

* Malignome/benigne Läsionen

eingesetzt. In letzter Zeit erscheinen vermehrt Berichte über ultraschallgeführte Punktionen (s. Tabelle 4.1), die etliche Vorteile bieten:

- Das Real-time-Monitoring erlaubt eine gute Überwachung des Punktionsvorganges.
- Eine Strahlenbelastung des Patienten und des Untersuchers wird vermieden.
- Der Eingriff kann am Krankenbett durchgeführt werden.
- Eine Punktion der belüfteten Lunge wird vermieden, so daß die Pneumothoraxrate niedrig bleibt.
- Bei großen Läsionen mit unterschiedlicher Echogenität können verschiedene Regionen gezielt angegangen werden, wobei solide von liquiden Strukturen leicht abzugrenzen sind.

Dreidimensional ausgeführte sonographische Schnittbilder erlauben eine bessere Lokalisation als das röntgenologische Summationsbild. Kleine pleurale oder auch subpleurale Herde sind im Röntgen schlecht darstellbar, ebenso zwerchfellnahe Läsionen (Ikezoe et al. 1984). Im Bereich der Lungenspitze und der oberen Thoraxapertur sind mittels Ultraschall auch die Gefäße abgrenzbar, so daß deren Punktion vermieden werden kann. Auch Tumoren im vorderen oberen Mediastinum werden mit supra- oder parasternalem Zugang gut erreicht (s. Kap. 8).

Die ultraschallgeführte Punktion ist aber auch limitiert:
- Der Herd muß an die Pleura reichen. Liegt belüftete Lunge dazwischen, versagt die Ultraschallbildgebung.
- Bei lufthaltigen Kavernen ist die Beurteilbarkeit eingeschränkt.
- Tritt während der Punktion ein Pneumothorax auf, verschwindet die Läsion augenblicklich aus dem Ultraschallbild.

Die ***Indikation*** zur sonographisch geführten transthorakalen Biopsie ist gegeben, wenn bei ätiologisch unklaren pleuralen, peripher-pulmonalen oder mediastinalen Raumforderungen ein entsprechender Therapieplan aus der Diagnose resultiert, womit auch den Patienten wesentlich belastendere Thorakoskopien und -tomien vermieden werden können, wenn diese keine kurative oder mittelfristig palliative therapeutische Konsequenz haben.

Eine ***absolute Kontraindikation*** stellen schwere Blutgerinnungsstörungen dar. Der Quickwert sollte über 50% liegen, die Thrombozytenzahl über 60.000 (Blank 1994).

Die ***relativen Kontraindikationen*** zur transthorakalen Biopsie sind ein bullöses Lungenemphysem und die pulmonale Hypertonie. Bei sonographisch geführter Punktion sollten letztere kein Risiko darstellen, da bei exakter Durchführung die belüftete Lunge und größere Gefäße nicht getroffen werden. Bei einer erheblichen Einschränkung der Atemfunktion und bei schlechten Blutgaswerten sollte nicht punktiert werden, es sei denn, daß auch eine therapeutische Intervention möglich ist, die den respiratorischen Zustand des Patienten verbessert. Letzlich sind Nutzen und Risiko im Einzelfall abzuwägen.

Eine besondere ***Vorbereitung des Patienten*** ist nicht erforderlich. Es empfiehlt sich aber, insbesondere ängstliche Patienten etwas zu sedieren (z.B. mit Benzodiazepinen) und bei dickeren Nadeln eine Lokalanästhesie zu setzen. Durch entsprechende Lagerung ist die beste Darstellung des Herds und eine optimale Manövrierfähigkeit zu suchen.

Bei der ***Auswahl der Biopsienadel*** aus dem reichlichen Angebot ist entscheidend, daß die Komplikationsrate mit der Nadeldicke und der Dauer des Punktionsvorganges steigt.

Es soll versucht werden, Material sowohl für die zytologische als auch für die histologische Untersuchung zu gewinnen.

Die ideale Punktionsnadel sollte
- dünnkalibrig und dünnwandig sein,
- steif genug sein, um die Punktionsrichtung beizubehalten,
- mit scharfem Schnitt in derbes und auch elastisches Gewebe dringen,
- und ausreichend Untersuchungsmaterial gewinnen (Westcott 1988).

Prinzipiell kommen 3 verschiedene ***Nadeltypen*** zum Einsatz:
1. Einfache ***Injektionsnadeln*** mit einer Dicke von 0,6–0,9 mm, wie sie bei der klassischen Feinnadelpunktion zur Aspirationszytologie verwendet werden. Unter Aspiration wird der Herd mehrmals fächerförmig punktiert, der Sog vor Entfernung aus der interessierenden Läsion abgelassen, dann der Nadelinhalt (Spritzeninhalt soll es dabei kaum geben) auf einen Objektträger gebracht, ausgestrichen und luftgetrocknet. Das gewonnene Material reicht lediglich für eine zytologische Untersuchung. Eine geringe Aussagekraft des gewonnenen Materials steht einer niedrigen Komplikationsrate gegenüber. Ob eine Läsion maligne ist, kann damit meistens gesagt werden, „typing“ und „grading“ sind schwer möglich, eine diffizile Lymphomdiagnostik beispielsweise ist damit undurchführbar.

   Andererseits kann bei lobären Pneumonien die transkutane Feinnadelaspiration bei gefährdeten Patienten bakteriologisch zielführend sein, wenn der Erreger auf andere Weise nicht identifiziert werden kann (Dierkesmann 1986; Liaw et al. 1994).
2. ***Schneidbiopsienadeln*** (Trucut, nach Otto u.a.) haben einen Schliff, der eine bessere Penetration in den Tumor ermöglicht. Mit einem spitzen Mandrin, der auch als Versteifung dient, wird die Nadel an den verdächtigten Herd vorgeschoben. Dann wird der Mandrin zurückgezogen, es bleibt eine feine Hohlnadel. Die Biopsie erfolgt mit Unterdruck, der nach Entfernung des Mandrins mittels Aspiration einer aufgesetzten Spritze oder maschinell durch Federzug erzeugt wird. Mit diesen Nadeln läßt sich meistens auch im Feinnadelkaliber (definitionsgemäß unter 1 mm) Gewebe zur histologischen Untersu-

chung gewinnen. Eine gute Weiterentwicklung stellen jene Nadeln dar, bei denen über Federzug ein Vakuum erzeugt wird (Autovac), wodurch mehr repräsentatives Gewebe gewonnen wird als in der Aspirationsschneidbiopsie.

3. ***Biopsienadeln,*** wie die Silverman-Hausser-Nadel oder deren Weiterentwicklungen, bieten die größte Chance, ausreichend Gewebe zur histologischen Untersuchung zu gewinnen. Bei Pleurabiopsienadeln (z.B. nach Ramel) bleibt in der eigentlichen Biopsienadel das halbe Lumen für das zu gewinnende Gewebe frei, das mit einem schrägen gegenläufigen Sporn abgeschnitten wird. Spreiznadeln klemmen ausreichend Lungengewebe ein, mit der darübergeführten Schneidnadel wird es herausgeschnitten. Diese Nadeln sind meist dicker, umständlicher und risikoreicher, bieten jedoch über Trokare Wiederholungsmöglichkeiten bei negativer Biopsie. Bei benignen, vor allem interstitiellen Lungenveränderungen sind sie unverzichtbar für eine histologische Diagnose. Bei anderen Lungenerkrankungen sind sie erst einzusetzen, wenn oben genannte Vorgehensweisen versagen.

Die ***sonographische Führung der Punktionsnadel*** kann auf viererlei Weisen erfolgen:

1. Bei der ***Freihandpunktion unter sonographischer Sicht*** sucht man die Nadelspitze mit dem Schallkopf auf, indem man ihn schräg zur Nadel in einem bestimmten Winkel aufsetzt und den Spitzenreflex darzustellen versucht. Es besteht keine fixe Verbindung zwischen Punktionsnadel und Schallkopf. Diese Punktionsweise setzt kurze oder relativ starre Nadeln voraus.
2. Man kann im Rahmen einer ***Freihandpunktion nach sonographischer Ortung*** das Punktionsziel auch zunächst in 2 Ebenen darstellen, die optimale Punktionstiefe ausmessen und dann möglichst senkrecht auf die Haut „aus dem Gedächtnis" punktieren.

   Die meisten ultraschallgeführten Punktionen werden heute mittels Freihandtechnik durchgeführt. Nadeln, die eine Einhandpunktion erlauben, haben den Vorteil, daß ein Untersucher sowohl den Schallkopf bewegen als auch die Nadel führen kann. Der ganze Vorgang spielt sich dann in einem Kopf ab, wodurch Korrekturen der Nadelspitzenposition rascher vorgenommen werden können.
3. Geeignet sind zentral oder auch exzentrisch perforierte ***Punktionsschallköpfe.*** Die eingeblendete Visierlinie kreuzt auch jene Struktu-

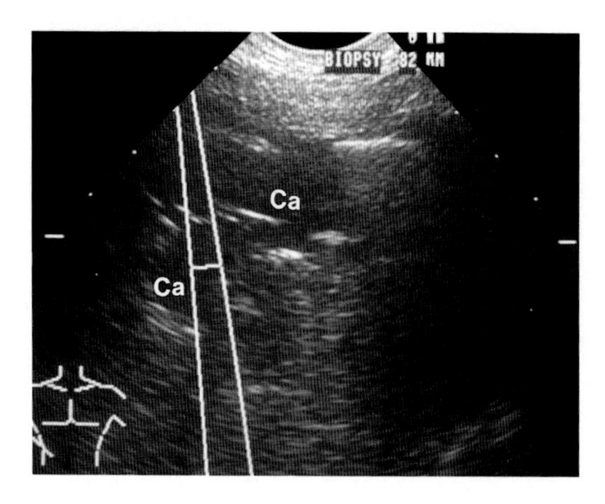

Abb. 4.8. Visierlinie eines Nadelhalters, der am Sektorschallkopf fix montiert ist. In der Visierlinie finden sich diffus infiltrierende Strukturen eines epidermoiden Bronchialkarzinoms. Das Punktionsziel läßt sich gut treffen. *Ca* = Karzinom

ren, die auf dem Weg zur gesuchten Läsion passiert werden. Gefäße beispielsweise können so geschont werden. Allerdings ist im Perforationsbereich die Bildgebung eingeschränkt.

4. Ein fest verbundener ***Nadelhalter*** ist an einen Sektor- oder Curved-array-Schallkopf fix montiert, wobei die Visierlinie von der Elektronik des Ultraschallgerätes vorgegeben wird. Dies kann ungenau sein, und Abweichungen dünner Nadeln sind möglich. Das Nahfeld ist nicht einsehbar. Außerdem kann diese Punktionsweise bei interkostalem Vorgehen leicht auf die Rippen führen, wie wir selbst beobachtet haben. Wir haben daher diese Technik im Thoraxbereich wieder verlassen. Sie ist aber im Abdomen bei sehr tief liegenden kleinen Läsionen gut geeignet (Abb. 4.8).

Unter 104 Patienten, die wir mittels Schneidbiopsie oder Vakuumbiopsie punktiert haben, war in allen richtig positiven Malignomen eine histologische Zuordnung möglich. Wir haben einen drainagebedürftigen Pneumothorax ausgelöst, zweimal milde Hämoptysen und eine beträchtliche Hämoptoe beobachtet, die aber rasch spontan sistiert sind. Alle drei Blutungen wurden bei chronischen Pneumonien beobachtet.

In der Literatur werden maligne Läsionen mittels ultraschallgeführter Punktion in 69–98% der Fälle richtig diagnostiziert, benigne Herde in 50–70%. Benigne Läsionen können aus dem geringen Material durch eine Feinnadelpunktion weniger gut zugeordnet werden (Ikezoe et al. 1990).

Tabelle 4.2 Komplikationen bei radiologisch geführter Lungen-Aspirations-Biopsie (nach Moore 1990)

Autoren	Patienten	Pneumothorax [%]	drainage-bedürftig
Moore (1990)	308	25	1,6
Jereb (1980)	117	19	5
Westcott (1980)	432	27	10
Jackson (1980)	229	44	14,3
Gibney (1981)	146	30,1	14,3
Stevens (1984)	348	41	10
Khouri (1985)	650	19,8	5
Perlmutt (1986)	673	23,8	11,5
Stanley (1987)	458	29	10

Bei ultraschallgeführter Punktion werden wenige ***Komplikationen*** berichtet. Die Pneumothoraxrate liegt bei 3%, jene der drainagebedürftigen bei 1–2% (s. Tabelle 4.1). Blutungen und Hämoptysen werden in 0–2% der Fälle beobachtet, über Luftembolien oder gar Todesfälle ist bislang nichts bekannt. Auffallend hoch ist die Rate an drainagebedürftigen Pneumothorazes bei Einsatz der Hausser-oder Menghini-Nadel.

Bei ***röntgenologisch geführten Punktionen*** tritt hingegen in 19–44% der Fälle ein Pneumothorax auf, der in bis zu 14,3% drainage-bedürftig ist (Tabelle 4.2).

Diese Diskrepanz erklärt sich einerseits dadurch, daß bei ultraschallgeführter Punktion eine Verletzung der belüfteten Lunge und der Gefäße leichter vermieden wird, da das US-Schnittbild in der Lokalisierung dem Röntgensummationsbild überlegen ist und bessere Abgrenzungen möglich sind. Andererseits ist die niedrige Komplikationsrate beim Ultraschall auch eine Folge der Patientenselektion, weil röntgenologisch und CT-geführte Punktionen auch in tiefer liegenden, mittels Ultraschall nicht einsehbaren Regionen erfolgen, wodurch zwangsweise auch die belüftete Lunge getroffen wird.

Gegenüber der konventionellen Thoraxröntgendiagnostik bietet der Ultraschall einen weiteren entscheidenden Vorteil: es lassen sich solide Strukturen auch in Flüssigkeiten wie dem Pleuraerguß abgrenzen und hier unter Sicht punktieren (Abb. 4.9).

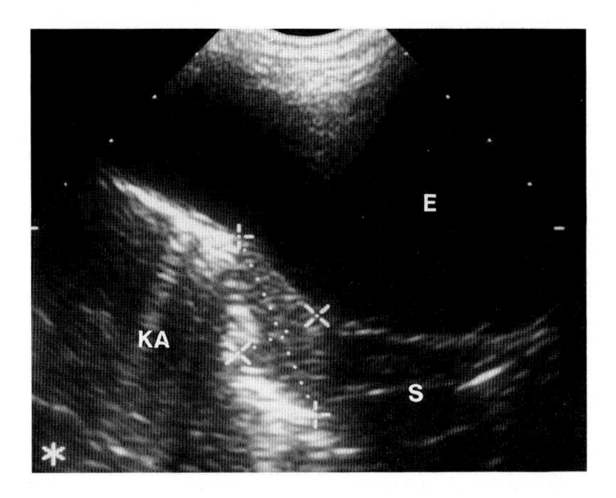

Abb. 4.9. In einem großen Pleuraerguß *(E)* finden sich kammerbildende Septen *(S)* und eine 3 × 1,5 cm große Metastase (+–+) eines Mammakarzinoms an der viszeralen Pleura. Sowohl für diagnostische wie auch therapeutische Eingriffe läßt sich der optimale Zugang sonographisch gut festlegen. Einfach ist auch die Therapiekontrolle unter Chemotherapie. *KA* = Kometenschweifartefakt

Computertomographisch geleitete Punktionen ermöglichen zwar eine exakte Bildgebung der Läsion und der Nadelspitze, ein Real-time-Monitoring der Nadel ist aber nicht möglich. Sie sind im Vergleich zum Ultraschall nach bisherigen Arbeiten komplikationsreicher, wesentlich zeitaufwendiger und teuer.

Über den Einsatz von homologem, geronnenem Blut als Tamponierungsmittel zur ***Pneumothoraxprophylaxe*** liegen bisher widersprüchliche Ergebnisse vor (Herman u. Weisbrod 1990; Petsas et al. 1990). Sinnvoll scheint es, den Patienten nach Punktion auf die Punkttionsseite bzw. -stelle zu lagern (Moore et al. 1990)

Impfmetastasen sind im Bereich der Lunge sehr selten und haben wenig Einfluß auf das Schicksal des Patienten. Bei malignen Pleuramesotheliomen sollen sie häufiger sein, weshalb empfohlen wird, bei einer möglichen Operation die Punktionsstelle mitzuresezieren. Die Bildung einer Impfmetastase kann auch punktionstechnisch begünstigt werden, wenn die Nadel unter Sog zurückgezogen wird, wodurch Tumorzellen eher verschleppt werden. Meistens ist die Zahl der durch Punktion in den Stichkanal verschleppten oder in den Kreislauf ausgeschwemmten Tumorzellen so gering, daß diese nicht angehen.

Die Impfmetastasenbildung hängt aber auch vom immunologischen Status ab, sie tritt eher bei fortgeschrittenen Tumorerkrankungen auf. Insgesamt liegt die Häufigkeit von Stichkanalmetastasen nach Feinnadelpunktion von Tumoren verschiedener Organe zwischen 0,003 und 0,005%, in einer DEGUM-Umfrage über 66 397 Feinnadelbiopsien wurden 2 Stichkanalmetastasen beobachtet (Weiss 1989). Sie treten häufiger bei Pankreaskarzinomen auf. Eine Impfmetastase ist auch nach Lungenpunktion mit 0,9–1,1 mm Nadeldicke beschrieben (Sinner u. Jajicek 1976).

Trotz des minimalen Risikos sollte die Indikation zur Feinnadelpunktion malignitätsverdächtiger Läsionen kritisch gestellt werden, wenn nicht relevante therapeutische Konsequenzen für den Patienten zu erwarten sind.

Zusammenfassung

Periphere Lungenkarzinome und Metastasen bieten sonographisch ein charakteristisches Bild, wenn diese an die Pleura reichen. Der Ultraschall eignet sich für Diagnosestellung und Therapieverlaufskontrolle. Bei pleuralen Läsionen und subpleuralen Lungenherden ist die ultraschallgezielte Punktion die diagnostische Methode erster Wahl. Sie ist treffsicher, rasch und einfach durchführbar, komplikationsarm, kostengünstig und belastet den Patienten wenig.

Literatur

Blank W, Braun B, Gekeler E (1986) Ultraschalldiagnostik und Feinnadelpunktion pleuraler, pulmonaler und mediastinaler Prozesse. In: Hansmann M (Hrsg) Ultraschalldiagnostik 86. Springer, Berlin Heidelberg New York Tokyo, 562–565

Blank W (1994) Sonographisch gesteuerte Punktionen und Drainagen. In: Braun B et al. (Hsrg) Ultraschalldiagnostik Lehrbuch und Atlas. ecomed Lansberg III/ 11.1 S 5–12

Bradley MJ, Metreweli C (1991) Ultrasound in the diagnosis of the juxta-pleural lesion. Brit Journ Rad 64:330–333

Chandrasekhar AJ, Reynes CJ, Churchill RJ (1976) Ultrasonically guided percutaneous biopsy of peripheral pulmonary masses. Chest 70:6720–630

Cinti D, Hawkins HB (1984) Aspiration biopsy of peripheral pulmonary masses using real-time sonographic guidance. AJR 142:1115–1116

Dierkesmann R (1992) Transkutane Lungen- und Pleurabiopsie. In: Ferlinz R (Hg) Diagnostik in der Pneumologie. Thieme, Stuttgart New York, S 136–141

Greiner P, Müller H, Pringsheim W, Reinwein H (1990) Diagnostischer Ultraschall bei Neugeborenen und Säuglingen mit akuter Atemnot. In: Gebhardt J et al. Ultraschalldiagnostik '89. Springer, Berlin Heidelberg New York Tokyo S 425–428

Gudinchet F, Anderegg A (1989) Echography of pulmonary sequestration. Europ J Radiol 9:93–95

Heckemann R, Hohner S, Heutz J, Nakhosteen J (1988) Ultraschallgeführte Feinnadelpunktion solider pulmonaler und pleuraler Tumoren. Ultraschall Klin Prax Suppl 1:83

Herman SJ, Weisbrod GL (1990) Usefulness of the blood patch technique after transthoracic needle aspiration biopsy. Radiology 176:395–397

Ikezoe J, Sone S, Higashikara T, Morimoto S Arisawa J, Kuriyama K (1984) A sonographic guided neele biopsy for diagnosis of thoracic lesions. AJR 143:229–234

Ikezoe J, Morimoto S, Arisawa J, Takasgima S, Kozuka T, Nakahara K (1990) Percutaneous biopsy of thoracic lesions: value of sonography for needle guidance. AJR 154:1181–1185

Izumi S, Tamaki S, Natori H, Kira S (1982) Ultrasonically guided aspiration needle biopsy in diseases of the chest. Am Rev Respir Dis 125:460–464

Liaw YS, Yang PC, wu ZG, Yu CJ, Chang CB, Lee LN, Kuo SH, Luh KT (1994) The bacteriology of obstructive pneumonitis. A prospective study using ultrasound-guided transthoracic needle aspiration. Am J Respir Crit Care Med 149:1648–1653

Mathis G, Sutterlütti G (1990) Sonographisch geführte Feinnadelbiopsie peripherer Lungentumoren. Radiologe 30:214–216

Metz V, Dock W, Zyhlarz R, Eibenberger K, Farres MT, Grabenwöger F (1993) Ultraschallgezielte Nadelbiopsien thorakaler Raumforderungen. ROFO 159,1:60–63

Mikloweit P, Zachgo W, Lörcher U, Meier-Sydow J (1991) Pleuranahe Lungenprozesse: Wertigkeit Sonographie versus Computertomographie (CT). Bildgebung 58: 127–131

Moore EH, Shepard JO, McLoud TC, Templeton PA, Kosiuk JP (1990) Positional precautions in needle aspiration lung biopsy. Radiology 175:733–735

Mueller PR, Saini S, Simeone JF, Silverman SG, Morris E, Hahn PF, Forman BH, McLoud TC, Shepard OJ, Ferucci JT (1988) Image guided pleural biopsies: indications, technique and results in 23 patients. Radiology 169:1–4

Pang JA, Tsang MB, Hom L, Metreweli C (1987) Ultrasound guided tissue-core biopsy of thoracic lesions with trucut and surecut needles. Chest 91:823–828

Pedersen OL, Aasen TB, Gulsvik A (1986) Fine needle aspiration biopsy of mediastinal and peripheral pulmonary masses guided by real-time sonography. Chest 89:504–508

Perlmutt M, Johnston W W, Dunnick N R (1989) Percutaneous transthoracic needle aspiration: a review. AJR 152:451–455

Petsas T, Fezoulidis I, Siamplis D, Dimopoulos I (1990) Die Verwendung von homologem, geronnenem Blut zur Pneumothoraxpophylaxe nach perkutaner Lungenbiopsie (experimentelle Studie). ROFO 152/5:565–568

Schwerk WB, Dambrowsky H, Kalbfleisch H (1982) Ultraschalltomographie und gezielte Feinnadelbiopsie intrathorakaler Raumforderungen. Ultraschall in Med. 3:212–218

Sinner W N, Jajicek J (1976) Implantation metastases after percutaneous transthoracic needle aspiration biopsy. Acta Radiol Diagn 17:437–480

Sommersgutter M, Borkenstein (1983) Ultraschallgezielte Tumorpunktion und bronchoalveoläre Lavage unter Real-time-B-Scan-Technik. Prax. Klin. Pneumol 37:871

Sugama Y, Tamaki S, Kitamura S, Kira S (1988) Ultrasonographic evaluation of pleural and chest wall invasion of lung cancer. Chest 93:275–279

Targhetta R, Bourgeois JM, Marty-Double C, Costa E, Proust A, Balmes P, Pourcelot L (1993) Peripheral pulmonary lesions: ultrasonic features and ultrasonic guided fine needle aspiration biopsy. J Ultrasound Med 12:369–374

Tikkakoski T, Lohela P Taavitsainen M, Hiltunen S, Ihalainen J, Paivansalo M, Siniluoto T, Strengel L, Apaija-Sarkkinen M (1993) Thoracic lesions: diagnosis by ultrasound-guided biopsy. ROFO 159/5:444–449

Vogel B (1985) Ultraschallgezielte perthorakale Punktion. Prax Klin Pneumol 39:632–635

Weiss A, Weis H, Ranft K (1985) Die ultraschallgezielte Feinnadelbiopsie solider thorakaler Prozesse. Prax Klin Pneumol 39:625–626

Weiss H (1989) Metastasenbildung durch Feinnadelpunktion? Ultraschall 10: 147–151

Wendt B, Khorsandi F, Otto RC (1993) Percutaneous biopsy of pulmonary lesions under ultrasound guidance. Ultraschall Klin Prax 8:119–125

Westcott JL (1988) Percutaneous transthoracic needle biopsy. Radiology 169:593–601

Wimmer B (1980) Sonographische Diagnostik von Tumoren der Thoraxwand. RO-FO Röntgenstr 132:633

Yang PC, Luh KT, Sheu JC, Kuo SH, Yang SP (1985) Peripheral pulmonary lesions: ultrasonography and ultrasonically guided aspiration biopsy. Radiology155:451–456

Yang PC, Chang DB, YU CJ, Lee YC, Wu HD, Kuo SH, Luh KT (1992) Ultrasound-guided core biopsy of thoracic tumors. Am Rev Respir. Dis 146:763–767

Yuan A, Yang PC, Chgang DB, Yu CJ, Lee YC, Kuo SH, Luh KT (1992) Ultrasound-guided aspiration biopsy of small peripheral pulmonary nodules. Chest 101:926–930

Yuan A, Yang PC, Chang DB, Yu CJ, Kuo SH, Luh KT (1992) Lung sequestration diagnosis with ultrasound and triplex doppler technique in an adult. Chest 102:1880–1882

Yuan A, Chang DB, Y CJ, Kuo SH, Luh KT, Yang PC (1994) Color Doppler sonography of benign and malignant pulmonary masses. AJR

5 Lungenembolie und Lungeninfarkt

Die Thromboembolie der Lunge ist ein sehr häufiges Ereignis, das zu oft nicht diagnostiziert wird. Obduktionsbeobachtungen geben eine Häufigkeit von 10–15%, bei Fällen chronischer Herzinsuffizienz bis um 30% an, wovon wiederum in 40% der Fälle die Lungenembolie als Todesursache zu werten ist. In einer neueren Studie über 231 Autopsien war die Lungenembolie mit 61% die häufigste klinisch nicht erwartete Diagnose (Rao u. Rangwala 1990).

Die klinische Diagnose wird sowohl in positiven wie in negativen Fällen häufig verfehlt. Das Thoraxröntgen ist wenig sensitiv. Die häufig angewendete Ventilations-Perfusions-Szintigraphie ist nicht immer verfügbar, beispielsweise in der Notfallaufnahme oder auf der Intensivstation. Kleine Perfusionsdefekte können der Szintigraphie entgehen, insbesondere wenn, wie häufig üblich, nur in 2 Ebenen untersucht wird. Nur etwa 40% der Patienten, die eine Lungenembolie haben, weisen einen entsprechend sicheren Szintigraphiebefund mit hoher Emboliewahrscheinlichkeit auf. Zwar ist die Spezifität bei ausgeprägtem „missmatch" hoch, doch bieten nur wenige Patienten diese hinreichend sicheren Kriterien einer Pulmonalembolie (Alderson u. Martin 1987, PIOPED 1990).

Der „Goldstandard" in der Diagnostik der Lungenembolie, die Pulmonalisangiographie, ist invasiv und nicht jedem Patienten zumutbar, insbesondere wenn die Untersuchung einen Transport des Patienten erfordert. Es fehlen auch entprechende Untersuchungskapazitäten, wenn man die Häufigkeit der Erkrankung in Betracht zieht.

Die in letzter Zeit häufiger angewandte digitale Subtraktionsangiographie der Pulmonalarterien ist in der Aussagekraft eingeschränkt, da die Darstellung der Subsegmentarterien oft unzureichend und der durch Atemnot behinderte Patient nicht kooperationsfähig ist. Die Qualität der DSA-Untersuchungen ist nur in 44% der Fälle befriedigend, bei 33% ausreichend und bei 23% unbefriedigend, wenn die Darstellung kleiner Pulmonalarterienäste und eine gute Parenchymphase gefordert wird (Tosch et al. 1989). Mit der Spiralcomputertomographie steht eine neue interessante Methode zur Verfügung, ausreichende Untersuchungsplätze fehlen noch.

Der Ultraschaller ist herausgefordert, seinen Beitrag zur Diagnostik der Lungenembolie zu leisten.

5.1 Pathophysiologische Vorbemerkungen – Voraussetzungen zur Ultraschallbildgebung

Die Lungenembolie ist ein dynamisches Geschehen. Eine massive, fulminante Lungenembolie, bei der beide Pulmonalishauptstämme verlegt werden, führt blitzartig zum Tode. Doch häufig treten einige Zeit vor der massiven Embolie kleine, prämonitorische Embolien auf, die bei rechtzeitigem Erkennen zu entsprechenden therapeutischen Maßnahmen Anlaß geben. Am häufigsten sind Verschlüsse mittlerer und kleiner Lungenarterienäste, die meist aus Thrombosen der Waden- und kleinen Beckenvenen stammen.

Die Frage, wie oft es zu einem Lungeninfarkt kommt, wird so unterschiedlich beantwortet wie die Definition desselben auch different ist. Der klassische Lungeninfarkt hatte zwei Voraussetzungen: eine Lungenembolie kleiner Arterienäste und eine präexistente Blutstauung im kleinen Kreislauf. Letztere Voraussetzung muß in Frage gestellt werden, da man durchaus auch bei jungen völlig Herzgesunden Lungeninfarkte sehen kann. Bei Verschluß einer größeren Pulmonalarterie ist die Ausgleichsversorgung über die präkapillären bronchopulmonalen Anastomosen gewährleistet, es tritt kein Lungeninfarkt ein. Auch Mikroembolien, das sind Verschlüsse lobulärer oder terminaler Arterien und Arteriolen, gehen nicht mit einer Infarzierung einher. Die Häufigkeit des hämorrhagischen Lungeninfarkts bei Lungenembolie wird mit 25–60% angegeben.

Kleine Lungenembolien werden durch lokale Fibrinolyse rasch resorbiert, die Intima der Pulmonalarterien hat eine beträchtliche fibrinolytische Kapazität. Bei diesen frischen Infarkten (=Frühinfarkte), die in Kürze mit einer Restitutio ad integrum beseitigt werden können, sind die Alveolarräume mit Ödem und Erythrozyten prall gefüllt, da es rasch zu einem Verlust des Surfactant kommt. Dies ist eine gute Vor-

Tabelle 5.1. Sonomorphologie von Lungeninfarkten

Frühinfarkt	Spätinfarkt
homogen	inhomogen/körnig
rund > triangulär	triangulär > rund
glatt begrenzt	zackig begrenzt
kaum Binnenechos	Segmentbronchusreflex

aussetzung für eine sonographische Darstellung und erklärt auch, daß wir sonographisch häufig Herde bei Lungenembolie sehen, ohne daß sich ein klassischer Lungeninfarkt bildet (Tabelle 5.1).

Eine den eigentlichen Lungeninfarkt umgebende inkomplette Infarktzone (Mantelzone), Ausdruck einer gestörten Mikrozirkulation, ist durch intravasale Fibrinablagerungen und Fibrintranssudation in die Alveolen gekennzeichnet. Diese Mantelzoneführt zu einer unscharfen Begrenzung des frischen Infarktareals, die sich sonographisch in seltenen Fällen als leicht verwaschene Berandung zeigt. Sie wird nach wenigen Tagen resorbiert, das eigentliche Infarktgebiet ist jetzt schärfer begrenzt. Wird der Frühinfarkt nicht resorbiert, so kommt es etwa ab der 2. Woche von einem hämorrhagischen Randsaum ausgehend zur Organisation, zum Bild des geläufigen, typischen Lungeninfarkts. Dieser Spätinfarkt bietet morphologisch mit seinem Organisationsgewebe und den Nekrosen ein wesentlich gröberes und inhomogeneres Bild. Infarktpneumonien können sich im infarzierten Bereich entwikkeln oder auch in der Infarktumgebung und zwischen multiplen Infarkten entstehen. Werden sequestrierte Infarkte abgehustet, enstehen Infarktkavernen, die sekundär infiziert zu einem Lungenabzeß führen können. Die Reparationsvorgänge des Spätinfarkts bieten daher sehr unterschiedliche Voraussetzungen für eine Ultraschallbildgebung. (Könn u. Scheijbal 1978, Hartung 1984, Heath u. Smith 1988, Lammers u. Bloor 1988).

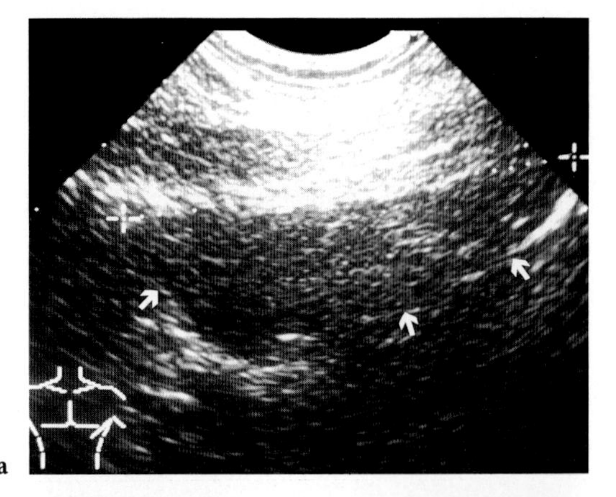

a

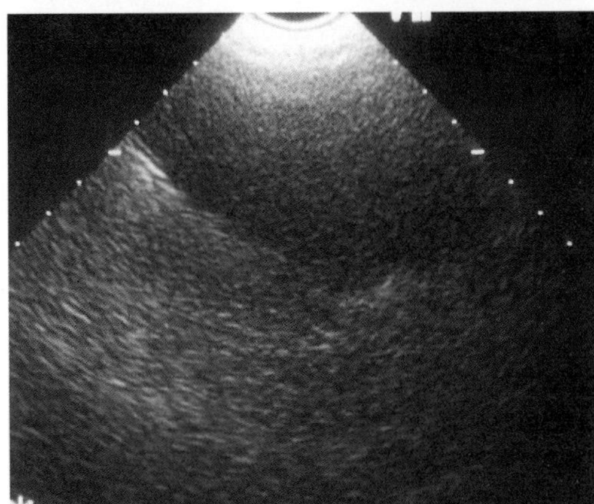

b

Abb. 5.1. **a** Frischer Lungeninfarkt (→) 2 h nach dem Embolieereignis in der anterobasalen Lunge. Echoarme Textur mit Eintrittechos, zum Hilus hin gerundet. Lage, Form und Frühstadium sind autoptisch-histologisch bestätigt. **b** Derselbe Lungenfrühinfarkt im Wasserbad: eine weitgehend homogene Läsion mit histologisch erhaltener Lungenstruktur

5.2 Lungeninfarkte im Wasserbad

Um die Sonomorphologie des Lungeninfarkts in den verschiedenen Stadien zu studieren, wurden 15 Autopsielungen von Patienten, die an Lungenembolie verstorben waren, mit insgesamt 26 Herden im Wasserbad sonographisch untersucht und mit dem histopathologischen Befund verglichen. Die Lungen waren unfixiert, die Untersuchung erfolgte innerhalb von 24 h nach dem Tode der Patienten, nicht später als 5 h nach Autopsie. In 5 Fällen konnten diese Befunde mit Ultraschalluntersuchungen vor dem Tod verglichen werden.

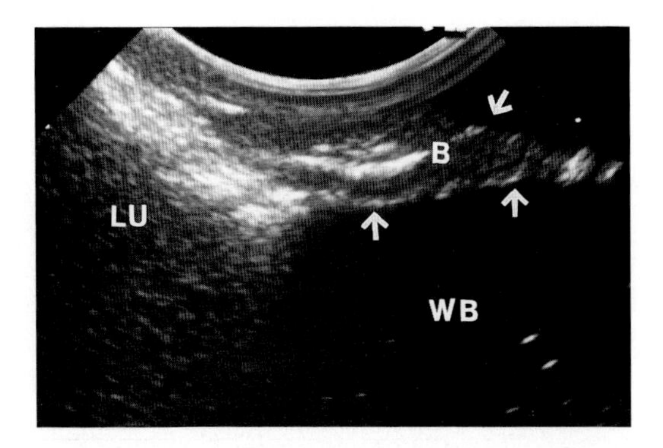

Abb. 5.2. Alter Lungeninfarkt (→) in einer Autopsielunge im Wasserbad. *B* = Brochusreflex, *LU* = belüftete Lunge, *WB* = Wasserbad

Dabei zeigten sich die frischen ***Frühinfarkte*** als homogene Gebilde mit breiter pleuraler Basis, die manchmal etwas vorgewölbt war. Die Form der Läsionen war in den basalen Lungenabschnitten eher triangulär (Abb. 5.1), in oberen Partien der Lungen zum Hilus hin gerundet oder viereckig. Die Frühinfarkte waren homogen und echoarm, bedingt durch den schallverstärkenden Wasservorlauf aber etwas echogener als intravital. Die histologische Untersuchung zeigte dabei mit Erythrozyten und interstitieller Flüssigkeit angeschoppte Alveolen, aber eine erhaltene Lungenstrukur.

Spätinfarkte, histologisch durch Nekrosen, Organisation und ausgeprägte entzündliche Reaktion gekennzeichnet, waren durchweg gröber strukturiert und zeigten einen ausgeprägteren Bronchusreflex sowie eine scharfe, nicht glatte und manchmal gezackte Begrenzung (Abb. 5.2).

Auffallend gut stimmten auch die bei 5 Patienten intravital erhobenen Sonogramme in Form, Größe und Echomuster mit dem Bild im Wasserbad und dem pathologischen Befund überein (Mathis u. Dirschmid 1993; Abb. 5.3). In 2 Fällen ließ sich das thromboembolisch angeschoppte Gefäß sonographisch darstellen (Abb. 5.4).

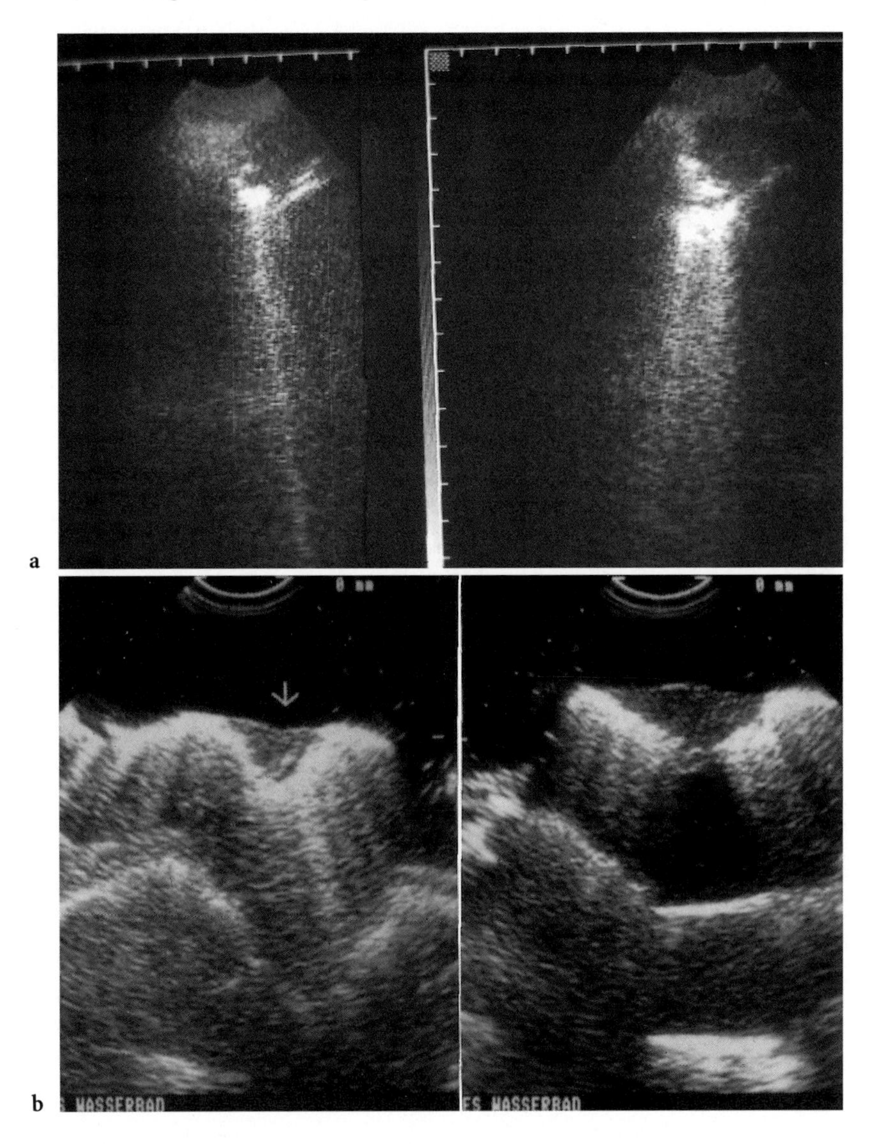

Abb. 5.3.a, b. Dieser Patient war wegen 3-Etagen-Beinvenenthrombose in stationärer Behandlung. Beim Frühstück erlitt er einen Herzkreislaufstillstand. Während der Reanimation wurden mit einem Bed-side-Gerät mehrere Signalembolien sonographisch erhoben (**a**), die in Lage, Form und Größe autoptisch und im Wasserbad (**b**) bestätigt worden sind

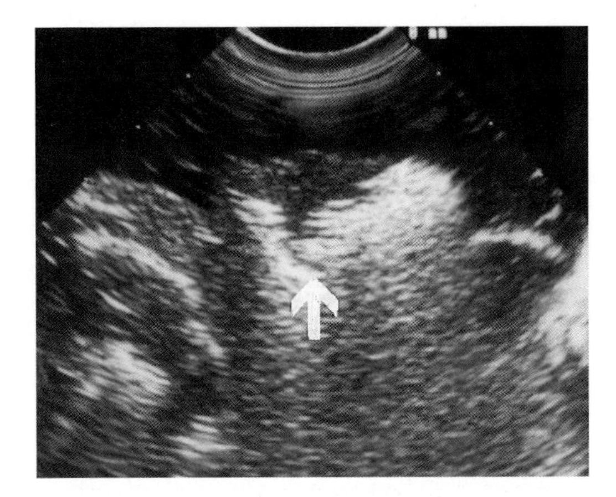

Abb. 5.4. Lungeninfarkt mit „Gefäßzeichen" im Wasserbad. Histologisch handelte es sich um einen frischen Lungeninfarkt, das zuführende Gefäß war thromboembolisch angeschoppt

5.3 Der akute, frische Lungeninfarkt im Sonogramm – Lungenfrühinfarkt

Schon 1966–1969 haben Joyner, Miller und Budder mittels Ultraschall-A-Scan und Compound-B-Scan zuächst in Tierexperimenten an Hunden und Schafen aufgezeigt, daß sich das Echomuster der Lunge schon 2 min nach Embolisation ändert und nach 10 min die pathologische Schalltransmission ausgeprägt ist. Im Tierversuch konnten sie lungenemboliebedingte Läsionen mit einer Treffsicherheit von 99% nachweisen.

Bei 183 Patienten wurden dann periphere Lungenkonsolidierungen mittels 2-MHz-A- und -B-Scan untersucht. Bei 34 von 36 Patienten mit Lungenembolie wurde eine Übereinstimmung mit szintigraphisch erhobenen Läsionen gesehen (Miller et al. 1967).

Erstaunlicherweise wurden diese Ergebnisse nicht weiter verfolgt. Mit den modernen, hochauflösenden Ultraschallgeräten wurden bisher nur wenige prospektive Untersuchungen durchgeführt (Mathis et al. 1990, Kroschel et al. 1991, Mathis et al. 1993).

Der frische ***Lungenfrühinfarkt*** zeigt sich sonographisch als eine echoarme und relativ homogene Läsion. Der Rand ist in den ersten Stunden manchmal etwas verwaschen, ansonsten aber glatt begrenzt. Er ist gewölbt, rundlich, seltener triangulär. Die pleurale Basis kann vorgewölbt sein, der Rand zur belüfteten Lunge leicht eingeschnürt (Abb. 5.5).

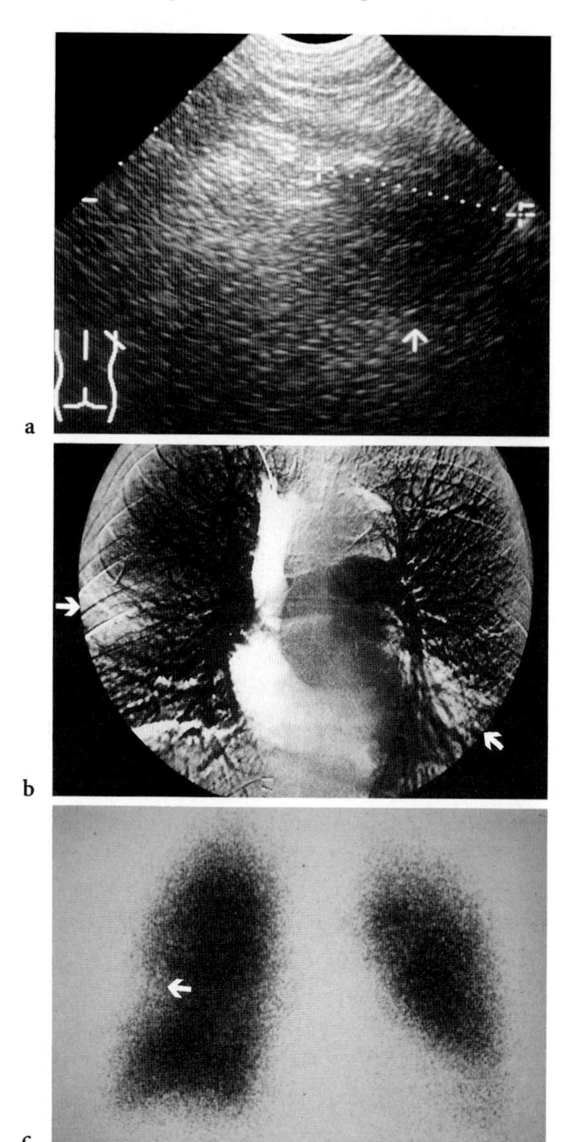

Abb. 5.5. **a** Etwas unscharf begrenzter, echoarmer, weitgehend homogener, frischer Lungeninfarkt rechts lateral. Die pleurale Oberfläche des Infarkts ist leicht vorgewölbt. **b** Das Pulmonalisangiogramm dieser Patientin zeigt zwei Gefäßabbrüche durch Lungenembolie. **c** Im Lungenszintigramm dieser Patientin kommt nur ein Perfusionsdefekt zur Darstellung. Der 2. Lungeninfarkt war sonographisch wie auch angiographisch zu sehen

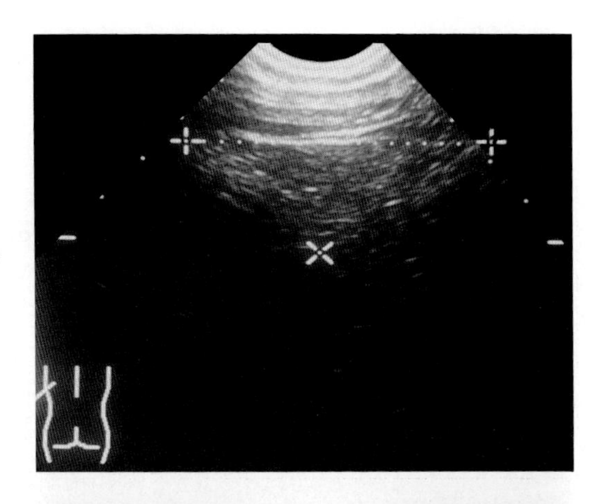

Abb. 5.6. Ein echodichter, triangulärer frischer Lungeninfarkt (5,5 × 3 cm) ist sehr selten. Das echodichte Bild könnte durch hämorrhagische Anschoppung entstehen, wie es auch bei manchen Hämatomen beobachtet werden kann. Auch dieser Befund ist angiographisch verifiziert

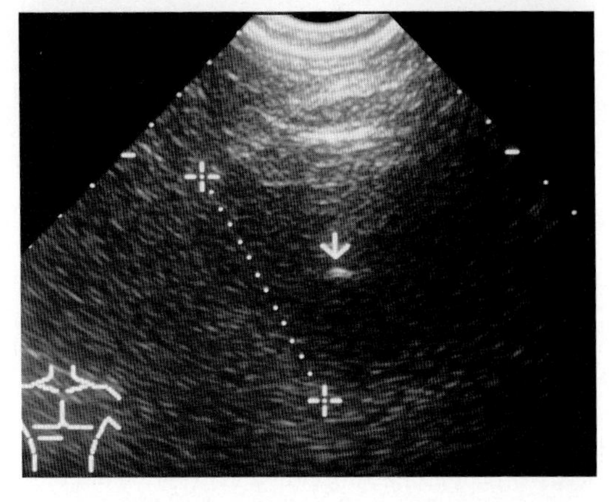

Abb. 5.7. Der zentrale Bronchusreflex (→) ist beim frischen Lungeninfarkt sehr klein, wenn überhaupt vorhanden. Auffallend besteht auch hier nach Abzug der Eintrittechos eine echoarme, weitgehend homogene Textur

Sehr selten zeigt sich vorübergehend ein echodichter Keil (Abb. 5.6), wahrscheinlich Ausdruck einer starken hämorrhagischen Anschoppung, wie auch Hämatome im Abdomen echodicht zur Darstellung kommen können.

Der zentrale Bronchusreflex ist beim Frühinfarkt klein (Abb. 5.7) bzw. schmal im Längsschnitt der Läsion. Dies ist einerseits Ausdruck der bekannten Bronchokonstriktion bei Lungenembolie, andererseits durch Kompression der umliegendenden Ödem- und Hämatomanschoppung bedingt. Ein ausgeprägtes Bronchoaerogramm läßt sich bei keinem Lungeninfarkt sehen.

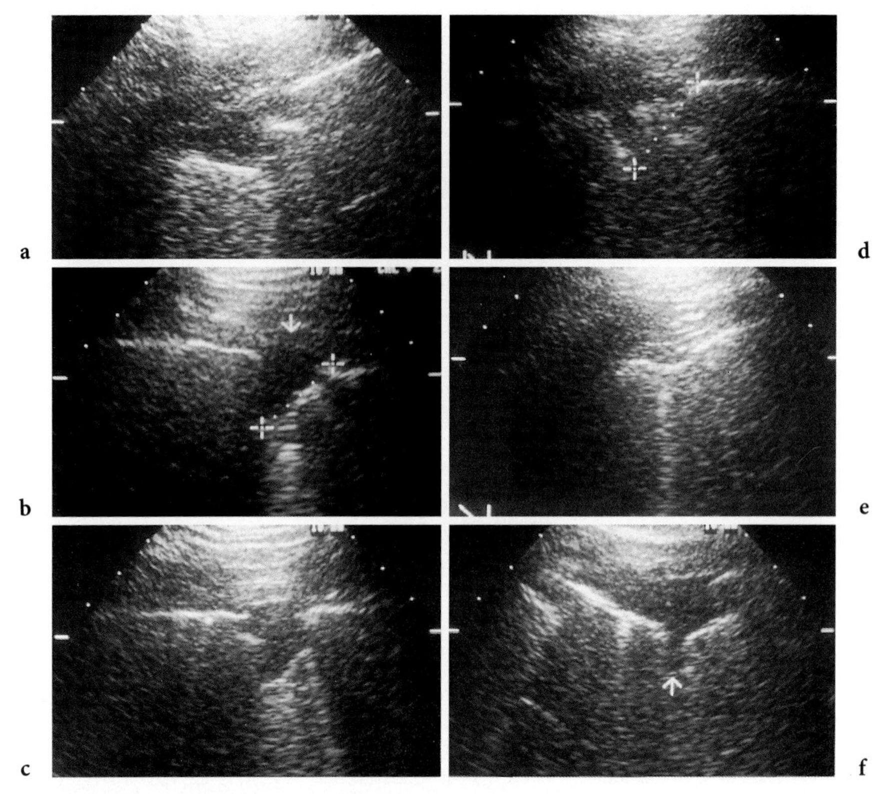

Abb. 5.8 a–f. Dieser Patient hatte eine 3-Etagen-Beinvenenthrombose. Nach einem Ereignis mit Atemnot, Druckgefühl im Brustkorb und Husten waren insgesamt sechs 2–3 cm große Lungeninfarkte (**a–f**) sonographisch nachweisbar, typische Signalembolien. Überwiegend sind sie keilförmig, in **c** (→) ist die pleurale Vorwölbung gut sichtbar. Infarkte dieser Größenordnung entgehen der Szintigraphie, besonders wie in **e**. In diesem Fall waren szintigraphisch zwei Perfusionsdefekte nachweisbar. Das zuführende thromboembolisch gefüllte Gefäß sieht man gut in **f** (→)

Für das Vorliegen einer Lungenembolie spricht thoraxsonographisch auch das Auftreten mehrerer ähnlicher Läsionen: 1–3 cm klein, keilförmig und mit pleuraler Basis (Abb. 5.8).

In etlichen Fällen läßt sich ein kleines echoloses ***Gefäßband*** zum Hilus hingerichtet darstellen, entsprechend der ausgeweiteten zuführenden Pulmonalarterie, wie dies auch in computertomographischen Untersuchungen („vascular sign") dokumentiert ist (Ren 1990, s. Abb. 5.4

und 5.8 f). Dies läßt sich besser in Real-time-Technik darstellen. Neuerdings liegen auch erste ermutigende duplexsonographische Untersuchungen vor, in denen sich der pulmonale embolische Durchblutungsstopp durch Flußabbruch und Turbulenzen zeigt. In der farbkodierten Dopplersonographie ist der Infarkt selbst kaum durchblutet, während Pneumonien im Gegensatz dazu eine starke Durchblutung bis unter die Pleura aufweisen (Yuan et al. 1993, Gehmacher u. Mathis 1994; s. Kap. 9).

5.4 Der typische, ausgeprägte Lungeninfarkt im Sonogramm – Lungenspätinfarkt

Etwa nach einer Woche, wenn sich ein klassischer Lungeninfarkt bildet, der dann auch im Thoraxröntgen mehr oder minder typisch nachweisbar ist, ändert sich das Ultraschallbild:

Der ***Lungenspätinfarkt*** ist gröber und körnig strukturiert als der frische Lungeninfarkt, er ist scharf begrenzt, häufig triangulär bzw. keilförmig, seltener gerundet oder viereckig. Er ist überwiegend etwas echodichter als der Frühinfarkt und weist einen ausgeprägten zentralen Bronchusreflex auf, der sich im Querschnitt im Zentrum des Dreiecks findet als ein Zeichen segmentalen Befalls (Abb. 5.8, 5.9, 5.10, 5.11 und 5.12). Kleine Lungeninfarkte zeigen bis zu einer Größe von etwa 2 cm keinen zentralen Bronchusreflex. Sie bleiben auch im Verlauf echoarm und homogen bis sie vom Rand her verdämmern.

Häufig ist jetzt auch ein begleitender ***Pleuraerguß*** etwa in der Hälfte der Fälle zu sehen. Der Erguß ist im Verhältnis zur Infarktläsion klein, was ein wichtiges Unterscheidungskriterium zur Abgrenzung von Kompressionsatelektasen darstellt (s. Kap. 7). Der Erguß kann auch zu einer Schallverstärkung im Lungeninfarkt führen, so daß dieser echodichter erscheint.

Die Echogenität des Lungeninfarkts hängt somit auch vom Vorhandensein und Ausmaß eines begleitenden Pleuraergusses ab. Der lungeninfarktbedingte Erguß ist praktisch echolos. Binnenechos im Erguß und Fibrinfäden kann man außer den Rauschartefakten nicht feststellen (s. Kap. 10), es sei denn, es liegt gleichzeitig eine Infarktpneumonie vor. Dabei ist auf Reverberationsechos aus Thoraxwandstrukturen zu achten.

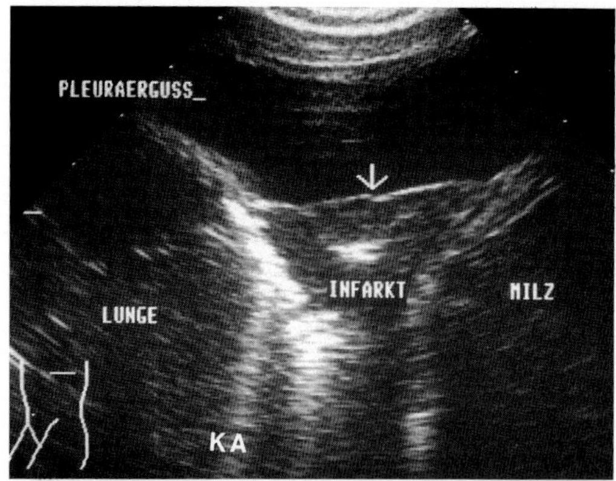

a

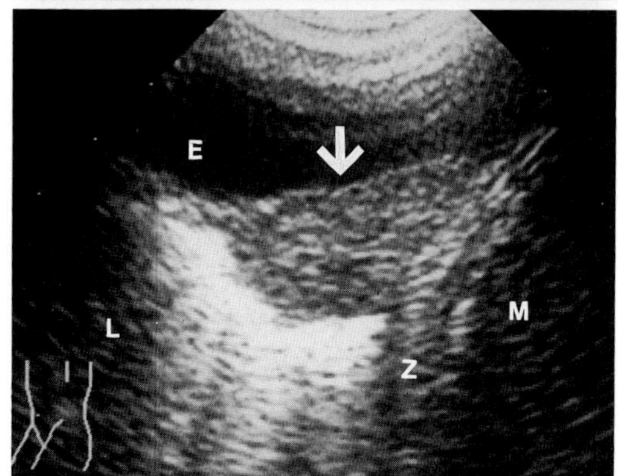

b

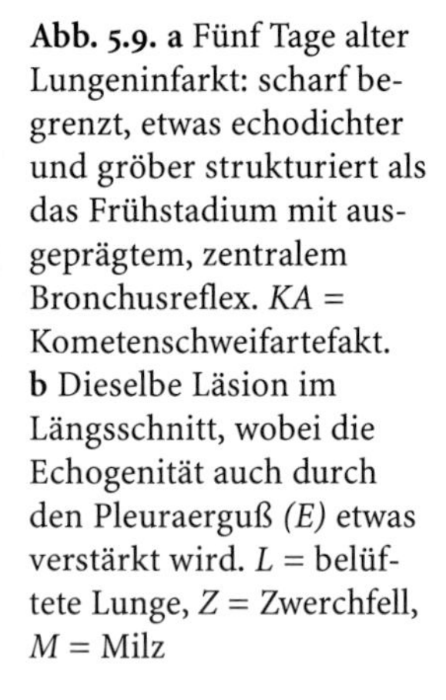

Abb. 5.9. **a** Fünf Tage alter Lungeninfarkt: scharf begrenzt, etwas echodichter und gröber strukturiert als das Frühstadium mit ausgeprägtem, zentralem Bronchusreflex. *KA* = Kometenschweifartefakt. **b** Dieselbe Läsion im Längsschnitt, wobei die Echogenität auch durch den Pleuraerguß *(E)* etwas verstärkt wird. *L* = belüftete Lunge, *Z* = Zwerchfell, *M* = Milz

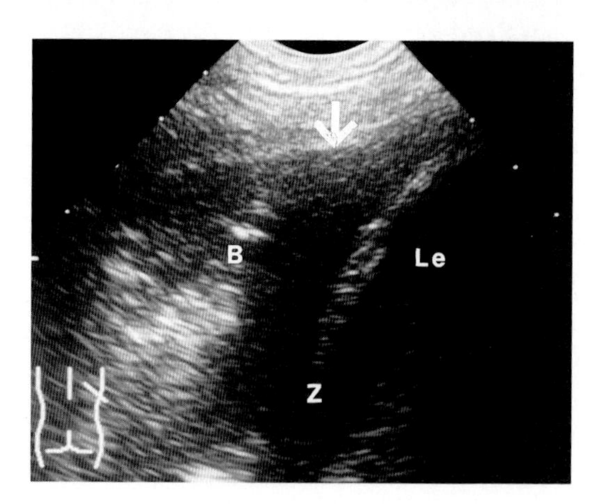

Abb. 5.10. Bei diesem großen, rechtseitigen laterobasalen Lungeninfarkt ist die Basis des Dreiecks zwar scharf, aber entsprechend der Gefäßversorung zakkenförmig begrenzt, was autoptisch gesehen werden kann. Ein Teil der Basis ist durch den Bronchusreflex *(B)* artifiziell überlagert. Solche echoarme Läsionen sind durch Beobachtung der Atemexkursion von Pleuraergüssen abzugrenzen. *Z* = Zwerchfell, *Le* = Leber

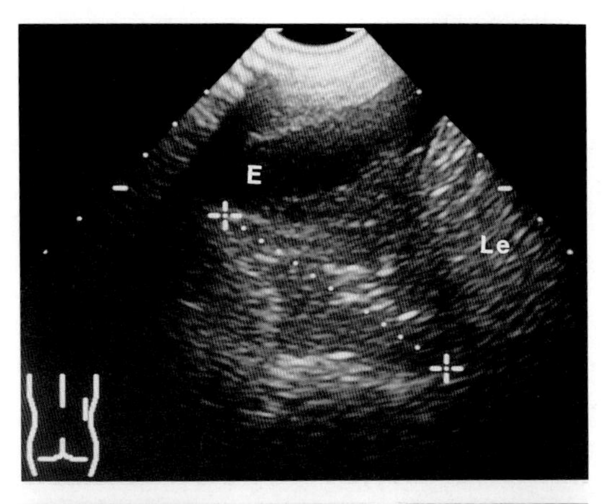

Abb. 5.11. Viereckiger älterer Lungeninfarkt (+–+) in mäßig dichter und etwas grober Echotextur. Auch diese Form ist entprechend der Gefäßversorgung typisch. Im Zentrum ist ein breiter Brochusreflex. *E* = Pleuraerguß, *Le* = Leber

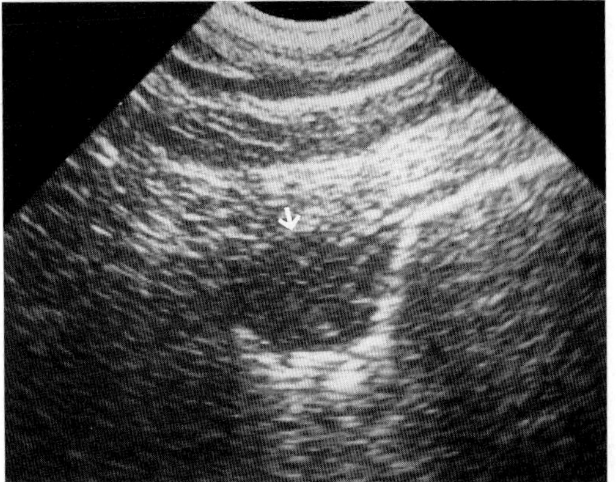

a

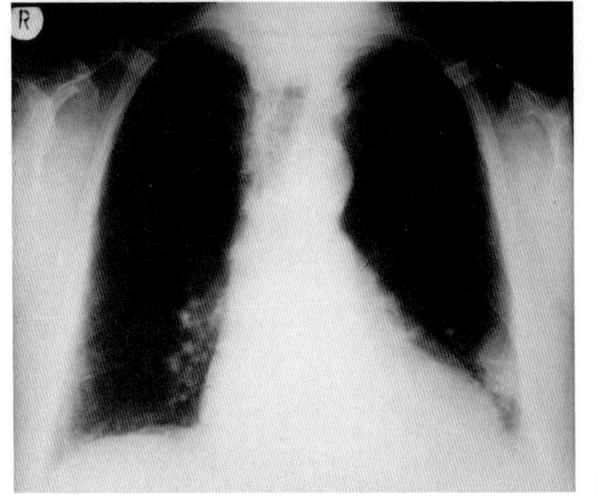

b

Abb. 5.12. a. Älterer Lungeninfarkt. Auch ohne Vorliegen eines Pleuraergusses läßt sich die Vorwölbung der pleuralen Infarktoberfläche gut darstellen (→). Beachte auch die Ähnlichkeit zur subpleuralen Metastase in Abb. 4.7. **b** Dieser Infarkt war im Ultraschall 4 Tage früher sichtbar als im Thoraxröntgenbild mit Durchleuchtung

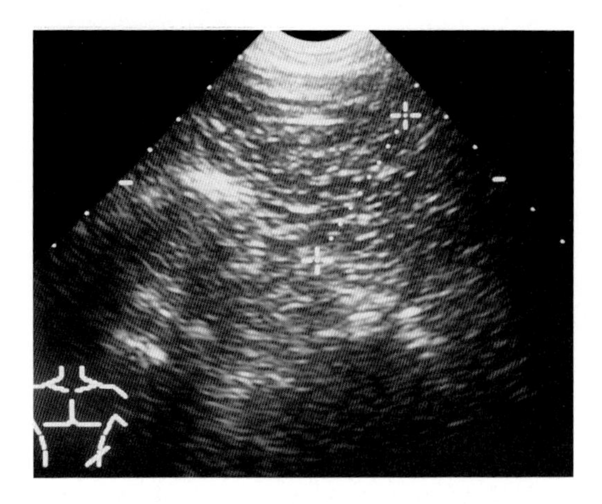

Abb. 5.13. Alter Lungeninfarkt, 15 Tage nach dem Ereignis. Das Areal ist zum Teil wiederbelüftet, sehr grob strukturiert und unscharf begrenzt. In diesem Stadium ist eine sonomorphologische Abgrenzung zur Pneumonie (auch Infarktpneumonie) nicht möglich. Bei diesem Patienten haben aber klinisch keine Pneumoniesymptome bestanden

Lungeninfarkte sind häufig am Lungenunterrand lokalisiert. Wenn sie hier in den Pleuraerguß ragen, sind sie bikonvex, manchmal wie ein Fingerendglied geformt, was ein weiteres Unterscheidungskriterium zur Kompressionsatelektase darstellt.

Noch später, Wochen nach dem Auftreten der Embolie, ist die Sonomorphologie des Lungeninfarkts nicht mehr so typisch (Abb. 5.13). Kommt es zur Organisation mit Narbenbildung oder zu einer Infarktpneumonie, ist das sonographische Erscheinungsbild uncharakteristisch. In jenen Fällen, die im Stadium der Infarktpneumonie 1–2 Wochen nach dem Ereignis zur ersten Ultraschalluntersuchung kommen, kann man sonographisch wohl den Herd darstellen, sonomorphologisch aber wenig differentialdiagnostische Kriterien anbieten.

5.5 Zur Treffsicherheit der Ultraschalldiagnostik bei klinischem Verdacht auf Lungenembolie

In einer prospektiven Studie wurden 58 Patienten mit klinisch dringendem Verdacht auf Lungenembolie sonographisch untersucht. Die klinischen Einschlußkriterien wurden hart gewählt, da die Verifizierung durch andere Methoden (s. 5.1) nicht unproblematisch ist. Die Diagnose wurde in 13 Fällen mittels Pulmonalisangiographie, in 7 Fällen autoptisch, 3mal durch Lungenbiopsie, beim Rest durch Perfusions-Ventilations-Szintigraphie erhärtet. Bestanden zwischen Szintigraphie und Sonographie Widersprüche, so mußte die Diagnose angiographisch oder pathologisch gesichert werden. Die Ultraschalluntersuchung mit 5-MHZ-, wahlweise auch mit 3- und 7,5-MHz-Sektor-Schallköpfen, stellte in allen Fällen – zumindest für den Untersucher – das erste bildgebende Verfahren dar. Etliche Patienten, bei denen in bettseitig durchgeführten Sonographien gleichartige Befunde erhoben wurden, konnten nicht in die Studie aufgenommen werden, da der schlechte Zustand oder die fehlende Untersuchungskapazität eine gleichzeitige Verifizierung durch andere ausreichend treffsichere Methoden nicht erlaubte.

Die Größe der sonographisch nachgewiesenen Läsionen lag im Durchschnitt bei 4,6 × 3,7 cm (maximal 9 × 8 cm, minimal 2 × 1,5 cm) in der größten Ausdehnung.

Von 47 Lungeninfarkten, deren Lokalisation ausgewertet wurde, waren

19 (=40,4%) im rechten Unterlappen
3 (=6,4%) im rechten Mittellappen
3 (=6,4%) im rechten Oberlappen
21 (=44,6%) im linken Unterlappen
1 (=2,2%) im linken Oberlappen gelegen.

Ein begleitender Pleuraerguß wurde in 48% der Fälle gesehen, wobei dieser bei drei Viertel der Patienten mit Pleuraerguß in der größten Ausdehnung unter 2 cm gemessen wurde.

Unter 58 Patienten, die in dieser prospektiven Studie evaluiert werden konnten, zeigte sich für die Ultraschalldiagnostik bei klinischem Verdacht auf Lungenembolie eine

- Sensitivität von 98%
- Spezifität von 66% bei einer
- Prävalenz von 83% im untersuchten Krankengut, was einer
- Treffsicherheit (korrekte Übereinstimmung) von 90% entspricht.

Dieses Ergebnis ist möglicherweise wegen der harten Einschlußkriterien so gut und bedarf einer Überprüfung durch weitere kontrollierte Studien. Verfehlt wurden 2 Lungeninfarkte im rechten Oberlappen hinter dem Schulterblatt und einer in der Lingula. Zwei von diesen Patienten hatten aber basal weitere infarkttypische Läsionen, so daß die Diagnose letzlich nur bei einem Patienten verfehlt wurde. Falsch-positiv wurden 2mal Pleuropneumonien und einmal Pleurametastasen sonographisch als Lungeninfarkte befundet.

Im Rahmen dieser Studie wurden ***Thoraxröntgenuntersuchungen*** in 2 Ebenen mit Durchleuchtung durchgeführt, wobei in zwei Drittel der Fälle diesbezüglich unauffällige Röntgenfilme innerhalb von 2 Wochen vor dem pulmonalembolischen Ereignis vorlagen. Dabei war die konventionelle Thoraxröntgenuntersuchung nur in

11 (21%) Fällen richtig-positiv, zeigte in
23 (43%) unspezifische Veränderungen, war in
11 (21%) falsch-negativ und in
8 (15%) Fällen richtig-negativ.

Trotz zusätzlicher Durchleuchtung ist das Thoraxröntgen dem Ultraschall in dieser Fragestellung eindeutig unterlegen. Bei 6 Patienten konnten kleinere Infarkte sonographisch dargestellt werden, die der V/P-Szintigraphie entgangen sind, 4 davon mußten aus der Studie ausgeschlossen werden, weil die Diagnose letzlich nicht hinreichend gesichert werden konnte (Mathis et al. 1993).

In eine andere prospektiven Studie zur sonographischen Darstellung von Lungenembolien wurden 100 Patienten aufgenommen, 67 davon szintigraphiert. Bei 12 Patienten wurden sonographisch Belüftungsdefekte bei normalem Szintigramm gesehen. Dagegen war der szintigraphische Nachweis eines ausgedehnten Lappen- und Segmentausfalls einer Lungenhälfte (3 Fälle) ohne sicheres sonographisches Korrelat (Kroschel et al. 1991).

5.6 Sonographische Suche nach der Emboliequelle

In Rahmen der Diagnostik einer Thromboembolie ist der Ultraschall in mehreren Bereichen inzwischen Methode erster Wahl. Der erfahrene Untersucher kann in einem Untersuchungsgang mehrere klinisch tatsächlich oder möglicherweise involvierte Körperregionen inspizieren, er kann Quelle, Weg und Zielort der Embolie untersuchen.

Venenduplexsonographie: Bei Verdacht auf tiefe Beinvenenthrombose beträgt die mediane Sensitivität 95% (38–100%) und die mediane Spezifität 97% (81–100%). Auch bei der nicht zu unterschätzenden isolierten Unterschenkelthrombose zeigen die mediane Sensitivität 89%

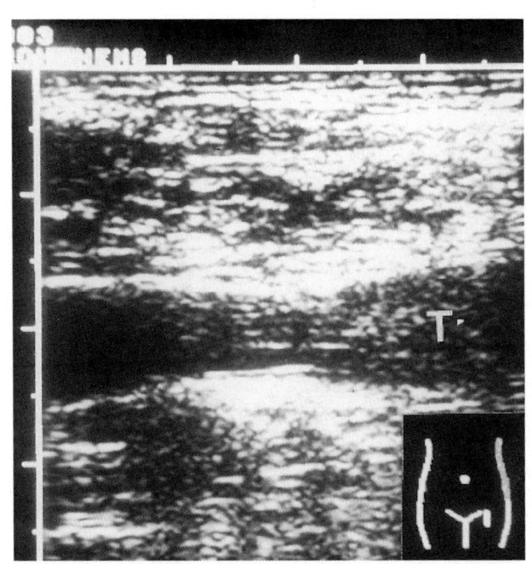

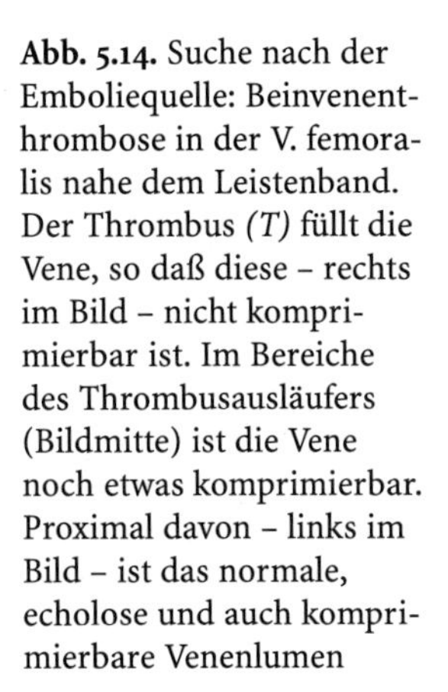

Abb. 5.14. Suche nach der Emboliequelle: Beinvenenthrombose in der V. femoralis nahe dem Leistenband. Der Thrombus *(T)* füllt die Vene, so daß diese – rechts im Bild – nicht komprimierbar ist. Im Bereiche des Thrombusausläufers (Bildmitte) ist die Vene noch etwas komprimierbar. Proximal davon – links im Bild – ist das normale, echolose und auch komprimierbare Venenlumen

(36–96%) und mediane Spezifität 92% (50–98%) (Jäger et al. 1993). Als direkte Zeichen einer Beinvenenthrombose gelten die Darstellung des Thrombus und der fehlende Fluß (Abb. 5.14). Die Erkennung des Thrombus im B-Bild wird durch den Einsatz des Farbdoppler indirekt verbessert. Mehrere indirekte Zeichen verbessern die Treffsicherheit. Die thrombosierte Vene ist nicht oder nur inkomplett komprimierbar, was auf ein okkludierendes oder umflossenes Gerinnsel weist. Allerdings ist das Kompressibilitätszeichen nur inguinal und popliteal zuverlässig. Die V. cava und die Beckenvenen sind nicht ausreichend komprimierbar, bei Wadenvenenthrombose ist die Kompression druckschmerzhaft. Die Atemphase des venösen Flusses geht distal eines Strömungshindernisses verloren, bei akuter Thrombose ist die Vene stark ausgeweitet, es fehlen Klappenbewegungen. Ein gründlicher Seitenvergleich zu den Venen des anderen Beines ist unabdingbar (Eichlisberger et al. 1995; s. Abb. 5.14).

Seit Einführung der transösophagealen Echokardiographie wird zunehmend auch das ***Herz als Emboliequelle*** untersucht. Es wurde überwiegend bei Patienten nach zerebralem Insult das Linksherz nach Emboliequellen untersucht. Dabei ließen sich in 15% der Insultpatienten, in anderen Gruppen bis zu 40% bei Patienten ohne klinisch nachweisbare Herzerkrankung mögliche kardiale Emboliequellen objektivieren

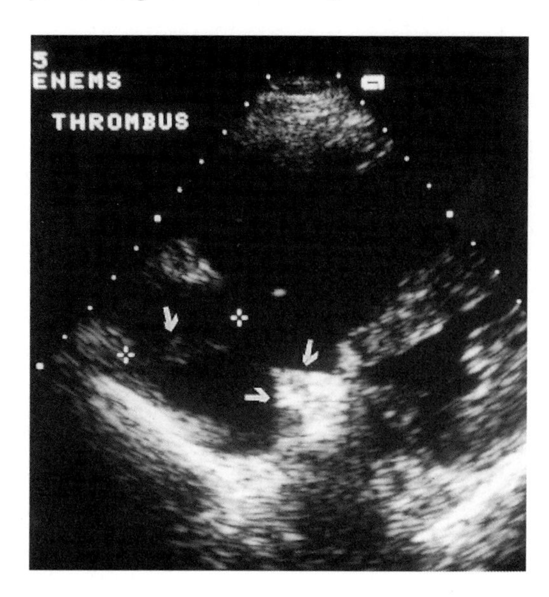

Abb. 5.15. Suche nach der Emboliequelle: Wandständiger und flottierender Thrombus (+–+) im rechten Vorhof. Im Verlauf des rezidivierenden embolischen Geschehens ist der flottierende Thrombus verschwunden. Thoraxsonographisch waren dann kleine Signalembolien nachweisbar

(Pearson et al. 1991). Auch im rechten Vorhof können mittels transthorakaler Echokardiographie flottierende Thromben nachgewiesen werden (Abb. 5.15), manchmal auch reitende Thromben in den zentralen Pulmonalarterien (Vuille et al. 1993).

5.7 Vorläufige Beurteilung der diagnostischen Wertigkeit des Ultraschalls bei Lungenembolie im Vergleich zu anderen bildgebenden Verfahren

Zweifellos besitzt die Ultraschalldiagnostik bei subtiler Untersuchungstechnik eine hohe Sensitivität im Nachweis von Lungeninfarkten bzw. lungenemboliebedingten reperfundierbaren pulmonalen Hämorrhagien. Die Methode ist nicht strahlenbelastend, kostengünstig und nicht invasiv, beliebig wiederholbar und kann am Krankenbett auch bei Intensivpatienten angewandt werden, auch wenn diese beatmungsbedürftig sind.

Sonographisch können kleine embolische Herde, prämonitorische Signalembolien (d.h. kleine Warnembolien, die einer massiven lebensbedrohlichen Lungenembolie vorausgehen) besser erfaßt werden als in der Ventilations-Perfusions-Szintigraphie und in der Pulmonalisangiographie mit DSA-Technik. Die Sprialcomputertomographie weist neuerdings Lungenembolien bis in die Segmentarterien mit hoher Sensitivität nach, offensichtlich besser als die V/P-Szintigraphie (Steiner et al. 1994). Große Studien zur Treffsicherheit fehlen noch, die Verfügbarkeit der Methode ist limitiert, der Aufwand ist groß.

Obwohl durch die bekannten Einschränkungen sonographisch nur etwa 65% der Lungenoberfläche einsehbar sind, ist die Thoraxsonographie in der Lungenemboliediagnostik relativ treffsicher, da die meisten Embolien im einsehbaren Bereich stattfinden.

Große Perfusionsdefekte können dem Ultraschall entgehen, wenn sie an der Lungenperipherie keine entsprechenden Gewebsveränderungen verursachen, die eine Schalltransmission ermöglichen.

Nachteilig ist die niedrige Spezifität, obwohl etliche sonomorphologische Kriterien typisch für Lungeninfarzierung sind. Insbesondere in fortgeschrittenen Stadien ist eine sonographische Abgrenzung der Pleuropneumonie von einer Infarktpneumonie nicht mehr möglich. Auch Kompressionsatelektasen können ein ähnliches Bild machen. Malignome sind durch ultraschallgeführte Punktion und durch den Verlauf leicht zu differenzieren, ebenso tuberkulöse Herde.

Im Hinblick auf langfristige therapeutische Maßnahmen wie Antikoagulation ist Vorsicht vor Überinterpretation des Ultraschallbefunds geboten. Lediglich bei typischen klinischen Symptomen und entsprechendem Risiko, z.B. unmittelbar vorausgehende Beinvenenthrombose, ist bei Fehlen anderer Diagnosesicherungsmöglichkeiten die alleinige Ultraschallbildgebung statthaft, wenn sich ein sonomorphologisch charakteristischer Aspekt auch im entsprechenden Verlauf darstellt. Verbessert wird die Ultraschalldiagnostik der Lungenembolie durch die farbkodierte Duplexsonographie des thromboembolischen Gefäßverschlusses in der Pulmonalarterie und durch eine konsequente Suche nach der Emboliequelle.

Zusammenfassung

Bei Lungenembolie lassen sich thoraxsonographisch in den meisten Fällen subpleurale schallgängige Zonen darstellen, wobei es sich einerseits um emboliebedingte, reperfundierbare Alveolarödeme und

Hämorrhagien handelt (Lungenfrühinfarkte), andererseits um ausgeprägte Lungeninfarzierungen, die ein typisches sonomorphologisches Bild bieten: scharf begrenzt, keilförmig, pleural basiert und mit zentral segmentalem Bronchusreflex. Mehrere ähnliche Läsionen erhöhen die Wahrscheinlichkeit der Diagnose „Lungenembolie".

Literatur

Alderson PO, Martin EC (1987) Pulmonary embolism: Diagnosis with multiple imaging modalities. Radiology 164:297–312

Budder FW, Johnson D C, Jellins J (1969) Experimental and clinical experiences in the use of ultrasound for the early detection of pulmonary emboly: a preliminary report. Med J Aust 1:295–297

Eichlisberger R, Frauchinger B, Holtz D, Jäger KA (1995) Duplex-Sonographie bei Verdacht auf tiefe Venenthrombose und zur Abklärung der Varikose. In: Jäger KA, Eichlisberger R. (Hrsg) Sonokurs. Karger Basel Freiburg Paris S 137–147

Gehmacher O, Mathis G (1994) Farbkodierte Duplexsonographie peripherer Lungenherde - ein diagnostischer Fortschritt? Bildgebung 61 Suppl. 2:11

Hartung W (1984) Embolie und Infarkt. In: Remmele W (Hrsg) Pathologie 1. Springer, Berlin Heidelberg New York Tokyo, S 770–772

Heath D, Smith P (1988) Pulmonary embolic disease. In: Thurlbeck WM (ed) Pathology of the lung. Thieme Stuttgart New York pp 740–743

Jäger K, Eichlisberger R, Frauchinger B (1993) Stellenwert der bildgebenden Sonographie für die Diagnostik der Venenthrombose. Hämostaseologie 13:116–123

Joyner CR, Miller LD, Dudrick SJ, Eksin DJ (1966) Reflected ultrasound in the detection of pulmonary embolism. Trans Ass Am Phys 79:262–277

Könn G, Schejbal E (1978) Morphologie und formale Genese der Lungenthromboembolie. Verh Dtsch Ges Inn Med 84:269–276

Kroschel U, Seitz K, Reuß J, Rettenmaier (1991) Sonographische Darstellung von Lungenembolien. Ergebnisse einer prospektiven Studie. Ultraschall in Med 12:263–268

Lammers RJ, Bloor CM (1988) Pulmonary hemorrhage and infarction. In: Dail DH, Hammar SP (ed) Pulmonary Pathology. Springer New York Tokyo pp 678–679

Mathis G, Dirschmid K (1993) Pulmonary infarction: sonographic appearance with pathologic correlation. Eur Journ Rad 17:170–174

Mathis G, Metzler J, Fußenegger D, Sutterlütti G (1990a) Zur Sonomorphologie des Lungeninfarkts. In: Gebhardt u. a. (Hrsg) Ultraschalldiagnostik '89. Springer, Berlin Heidelberg New York Tokyo S 388–391

Mathis G, Metzler J, Feurstein M, Fußenegger D, Sutterlütti G (1990b) Lungeninfarkte sind sonographisch zu entdecken. Ultraschall in Med 11:281–283

Mathis G, Metzler J, Fußenegger D, Sutterlütti G, Feurstein M, Fritzsche H (1993) Sonographic observation of pulmonary infarction and early infarctions by pulmonary embolism. Eur Heart Journ 14:804–808

Miller LD, Joyner CR, Dudrick SJ, Eksin DJ (1967) Clinical use of ultrasound in the early diagnosis of pulmonary embolism. Ann Surg 166:381–392

PIOPED Investigators (1990) Value of the ventilation/perfusion scan in acute pulmonary embolism. JAMA 263:2753–2759

Pearson AC, Labovitz AJ, Tatineni S (1991) Superiority of transesophageal echocardiography in detecting cardiac source of embolism in patients with cerebral ischemia of uncertain etiology. JACC 19:1213–1222

Ren H, Kuhlman JE, Hruban RH, Fishman EK, Wheeler PS, Hutchins GM (1990) CT of infation-fixed lungs: wedge-shaped density and vasular sign in the diagnosis of infarction. J Comput Assist Tomogr 14:82–86

Steiner P, Phillips F, Wesner D, Lund GK, Kreymann G, Nicolas V, Crone-Münzebrock W (1994) Primärdiagnostik und Verlaufskontrolle der akuten Lungenembolie: Vergleich zwischen digitaler Subtraktionsangiographie und Spiral-CT. ROFO 161/4:285–291

Tosch U, Witt H, Mosler F (1989) Grenzen der diagnostischen Aussagekraft der pulmonalen digitalen Subtraktionsangiographie (DSA). ROFO 151/5:579–581

Vuille C, Urban P, Jolliet P, Louis M (1993) Thrombosis of the right auricle in pulmonary embolism: value of echocardiography and indications for thrombolysis. Schweiz. Med Wochenschr 123:1945–1950

Yuan A, Yang PC, Chang DB, Yu CJ, Lee LN, Wu HD, Kuo SH, Luh KT (1993) Ultrasound guided aspiration biopsy for pulmonary tuberculosis with unusual radiographic appearances. Thorax 48:

6 Pneumonien

6.1 Bakterielle und virale Pneumonien

Bei vielen an die Pleura reichenden Lungeninfiltrationen kann der Ultraschaller einen entscheidenden Beitrag zur Diagnostik leisten. Insbesondere bei massiver pleuraler Verschattung im Thoraxröntgenbild können wertvolle weiterführende Informationen gewonnen werden. Eine Ergußverschattung in größerem Ausmaß schränkt die Aussage der radiologischen Untersuchung derart ein, daß die zusätzliche Thoraxsonographie oder Computertomographie erst ausreichende diagnostische Klärung bringen kann. Im Vergleich zur Computertomographie liegt die diagnostische Sensitivität bei 95% in pleuralen Läsionen und in 83% bei parenchymatösen Konsolidierungen der Lunge (Yu et al. 1993). Andererseits konnnten in dieser Untersuchung über den Ultraschall bei einseitigem Hemithorax bei 50 Patienten 4 pleurale und 2 pulmonale Läsionen diagnostiziert werden, die in der Computertomographie nicht beschrieben worden sind.

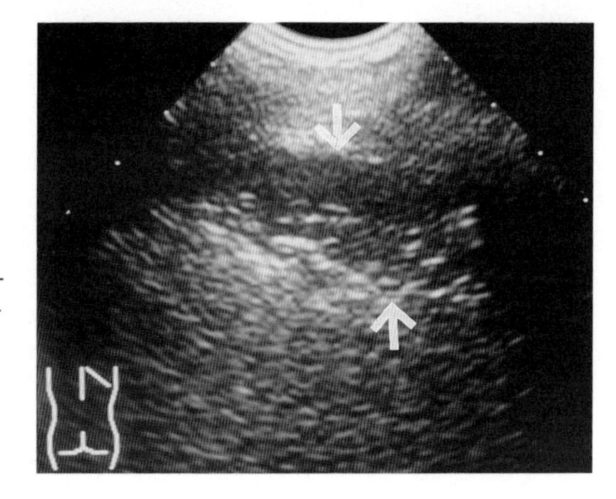

Abb. 6.1. Frische Pleuropneumonie ohne Erguß. Der Rand ist echoarm, angeschoppt und nicht belüftet. In den tieferen Lungenanteilen finden sich zunehmend Luftechos, Wiederholungsechos und andere Artefakte, die das Ausmaß der Infiltrationen unterschätzen lassen

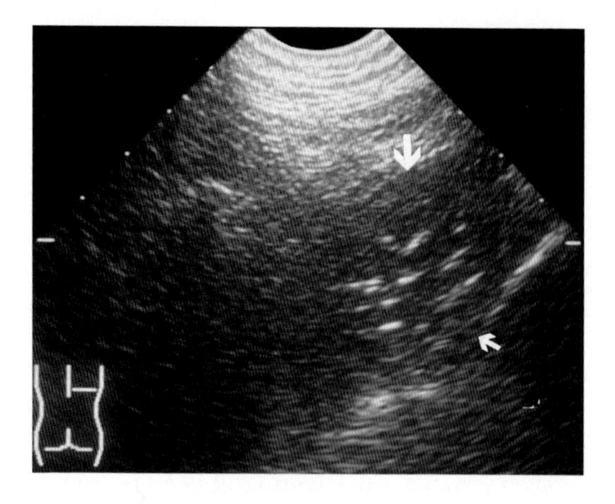

Abb. 6.2. Pneumonischer Herd (→) mit zahlreichen, linsenförmigen und luftdichten Binnenechos. Die Läsion ist unregelmäßig und unscharf, also nicht segmental begrenzt. Auch hier ist das Ausmaß der Infiltration sonographisch nicht abzusehen

Die ***Sonomorphologie der Pneumonie*** stellt sich wie folgt dar:

Am Beginn der Erkrankung, in der Phase der Anschoppung, ist der pneumonische Herd echoarm, relativ homogen und leberähnlich (Abb. 6.1). Er ist bizarr konfiguriert und selten ausgesprochen segmental geformt wie der Lungeninfarkt. Der Rand ist unregelmäßig, gezackt und auch etwas unscharf.

Sonomorphologie der Pneumonie

- echoinhomogen
- unscharf begrenzt
- Bronchoaerogramm
- Fluidobronchogramm (poststenotisch)
- Abszedierung

Ein ausgeprägtes ***Bronchoaerogramm*** (= Bronchopneumogramm, Airbronchogramm) mit baumartiger Verästelung zeigt sich in 87% der Fälle. Zwischen den konsolidierten Parenchymabschnitten verlaufen die intensiven Reflexbänder des Bronchialbaums. Das Bronchoaerogramm ist in allen Stadien der Erkrankung besser ausgeprägt als bei der Lungenembolie. In der Heilungsphase der Pneumonie kann diese noch echoarm und relativ homogen sein, aber schon etwas gröber strukturiert. Im Verlauf der Erkrankung ändert sich das sonographische Bild. Es lassen sich zunehmend und dies manchmal auch schon in den ersten Tagen zahlreiche linsenförmige Binnenechos (Abb. 6.2) dar-

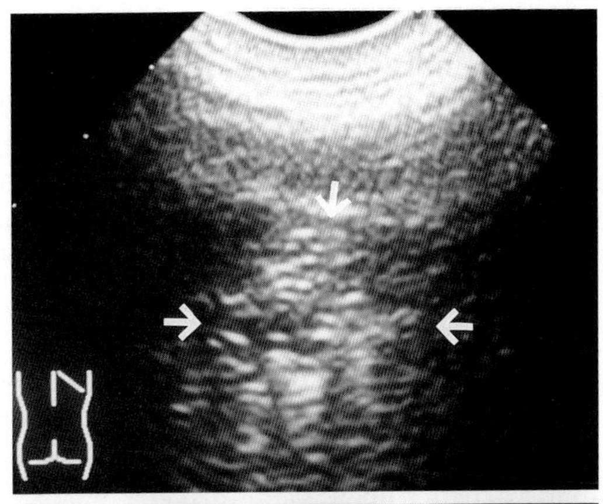

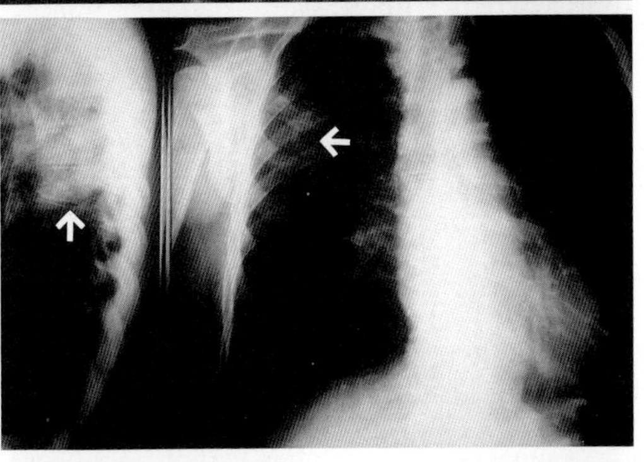

Abb. 6.3. a Echodichte Pneumonie, grob struktiert, kaum abgrenzbar. Die Läsion kommt im US kleiner zur Darstellung als im entsprechenden Röntgenbild (**b**). Eindeutig ist aber die pathologische Schalltransmission und die Rückbildung im Verlauf zu beobachten

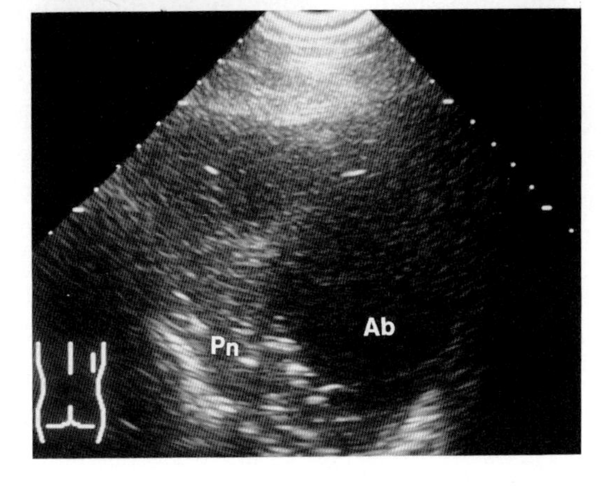

Abb. 6.4. Ausgedehnte Pneumonie *(Pn)* mit Abszeßbildung *(Ab)*. Die Abszeßdrainage erfolgt unter US-Bildgebung, der Erreger wird isoliert

stellen, die zum Großteil Lufteinschlüsse darstellen. Zum Teil kann das unruhige Bild auch durch Sekretstau in den Bronchien bedingt sein (Weinberg et al. 1986, Braun et al. 1990, Anzböck et al. 1990, Mathis et al. 1992, Yang et al. . 1992, Targhetta at al. 1993, Gehmacher et al. 1995).

Im Verlauf der Erkrankung ist die sonographisch inhomogene, pneumonische Läsion noch schlechter abgrenzbar zur belüfteten Lunge. Mit zunehmender Wiederbelüftung nehmen auch die Artefakte, Reverberationsechos und Kometenschweife zu. Auffallend ist, daß der sonographisch erfaßte Herd in über 80% der Fälle kleiner imponiert als in den Röntgenaufnahmen (Mathis et al. 1992, Gehmacher et al.1995; Abb. 6.3 und 6.4). Auch dies ist eine Folge zahlreicher Artefakte, die das sonographisch wirkliche Bild der Pneumonie mit zunehmender Eindringtiefe trüben. Wenn sich eine Pneumonie im Ultraschall größer darstellt als im Röntgen, ist dies meist Ausdruck eines parapneumonischen Ergusses.

Das ***Fluidobronchogramm***, ein weiteres sonographisches Charakteristikum bei Pneumonie, ist gekennzeichnet durch echolose tubuläre Strukturen im Verlauf des Bronchialbaums. Es läßt sich in 16–92% der Pneumoniepatienten nachweisen und entsteht infolge einer bronchialen Obturation durch Sekret oder Tumor. Das Fluidobronchogramm weckt immer den Verdacht auf eine poststenotische Pneumonie und indiziert eine entsprechende bronchoskopische Abklärung. Dabei kann der Tumor gefunden oder ausgeschlossen, der obturierende Sekretpropf abgesaugt und Material für die bakteriologische Untersuchung gewonnen werden (Yang et al. 1992, Targhetta et al. 1992).

Bei ***Bronchopneumonien*** können mittels Ultraschall nur Veränderungen erfaßt werden, wenn eine Pleuramitbeteiligung vorliegt, am ehesten in Form eines schmalen Ergusses und kleiner, subpleuraler Infiltrationen. Dies ist zwar häufig der Fall, doch wird bei Bronchopneumonien das Ausmaß der Infiltration im Sonogramm unterschätzt. Die bildgebende Primärdiagnostik der Pneumonie erfolgt im Thoraxröntgen.

Poststenotische Pneumonien, die peripher oder am Rande von Karzinomen entstehen, können mittels Ultraschall besser vom Tumor abgegrenzt werden als im Röntgenbild. Die poststenotische Pneumonie weist charakteristischerweise ein Fluidobronchogramm auf. Auch in dieser Fragestellung ist das dynamische Sonotomogramm mit der Computertomographie vergleichbar. Effizient sind dabei Verlaufskontrollen zur Überwachung von therapeutischen Maßnahmen: geht die

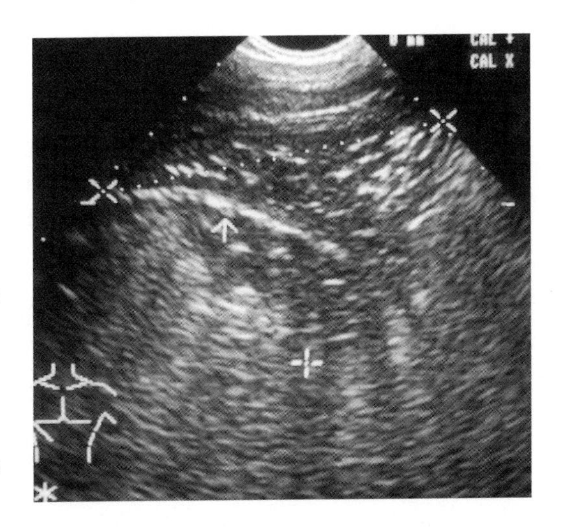

Abb. 6.5. Bronchoaerogramm (→) in einer Segmentpneumonie. Neben dem länglichen Bronchusreflex sind weitere zahlreiche luftdichte Binnenechos sichtbar, die kleineren Bronchialabschnitten entsprechen. Typisch ist, daß die Belüftung bis unter die Pleura reicht. Typisch für die Pneumonie ist auch die unscharfe Begrenzung

Pneumonie zurück oder nimmt der Tumor zu (Braun et al. 1990, Yang et al. 1990)?

Werden ***Kompressionsatelektasen*** sekundär bronchopneumonisch infiziert, so ändern sie ihr sonographisches Bild: sie werden echoärmer, plump und starr im Vergleich zu ihrem schlanken, elastisch flottierenden früheren Bild. Basale Verschattungen sind radiologisch oft schwer zuzuordnen. Dabei kann sonographisch gut dargestellt werden, ob ein epiphrenischer pulmonaler Prozeß oder ein subphrenischer Abszeß vorliegt.

Bei einer fortgeschrittenen ***Infarktpneumonie*** können auf Grund des Sonogramms keine Aussagen über die Genese mehr gemacht werden.

Insgesamt imponiert die Bildgebung der klassischen Pneumonie im Röntgen stärker ausgeprägt als im Sonogramm. Doch können mittels Ultraschall häufig wertvolle Zusatzinformationen gewonnen werden. Die Beurteilung des Sonographiebefunds erfordert immer die Kenntnis des entsprechenden Röntgenbildes.

Indikation zur Sonographie bei Pneumonie

- pleurale/basale Verschattung
- Erregerisolierung
- Abszeßdarstellung
- Abszeßdrainage
- Verlaufskontrolle

6.2 Lungenabszesse – diagnostische und therapeutische Schritte

Bakterielle Pneumonien neigen zu Einschmelzung und Abszeßbildung. Dies ist bei etwa 6% der Patienten mit Lobärpneumonie der Fall, wo bei sich diese Zahlen auf radiologische Untersuchungen beziehen. Sonographisch sind Mikroabzsesse häufiger zu sehen (Yang et al. 1991,1992).

Die ***Sonomorphologie von Lungenabszessen*** ist durchaus charakteristisch: rundliche oder ovale, weitgehend echolose Herde. Der Rand ist je nach Kapselbildung glatt und echodicht weiß. Schleierartige Binnenechos weisen auf hohen Zellgehalt oder eiweißreichen, zähen Eiter. Bei Abszedierungen durch gasbildende Keime bewegen sich sehr echogene, kleine Lufteinschlüsse tanzend im Atemrhythmus in der Flüssigkeit. Septenbildungen zeigen sich als echodichte, flatternde Fäden. Schallkopfnah zeigt sich wegen des hohen Impedanzunterschiedes von infiltriertem Parenchym zur Abszeßflüssigkeit manchmal ein artifizielles Rauschen, das nicht mit Binnenechos verwechselt werden darf. Binnenechos liegen immer auch in der Tiefe des Bildes. Im interessierenden Frühstadium sind kleine Abszesse lediglich als pathologische Flüssigkeitsansammlung darstellbar, die anatomisch irregulär im konsolidierten, leberähnlichen Infiltrat angesiedelt sind. Es fehlen glatte Begrenzung und die echogene Kapsel. Mikroabszesse können von Gefäßen mittels Farbdoppler leicht abgegrenzt werden.

Eine ***Erregergewinnung*** mittels ultraschallgeführter Aspirationspunktion ist zielführend, wenn man die magere Ausbeute von bakteriologischen Untersuchungen aus dem Sputum oder der Bronchiallavage bedenkt. Bei der Punktion mit einer einfachen Injektionsnadel achtet man durch gründliche sonographische Voruntersuchung und erforderlichenfalls unter sonographischer Sichtkontrolle, daß die luftgefüllte Lunge und die Gefäße gemieden werden. Die Ätiologie pulmonaler Infektionen läßt sich auf diesem Weg in 78% der Fälle klären (Yang et al. 1992, Chen et al. 1993, Lee et al. 1993, Liaw et al. 1994).

Lungenabzessedrainagen können unter sonographischer oder computertomographischer Sicht erfolgen (Sonnenberg et al. 1991, Blank 1994). Die Auswahl des Instrumentariums hängt von der Größe der Läsion und von der Konsistenz des Abszeßinhaltes ab. Mikroabszesse bis zu einer Größe von 2 cm werden im Rahmen der Aspirationspunktion leerpunktiert. Große Abszesse mit dickrahmigem Eiter erfordern groß-

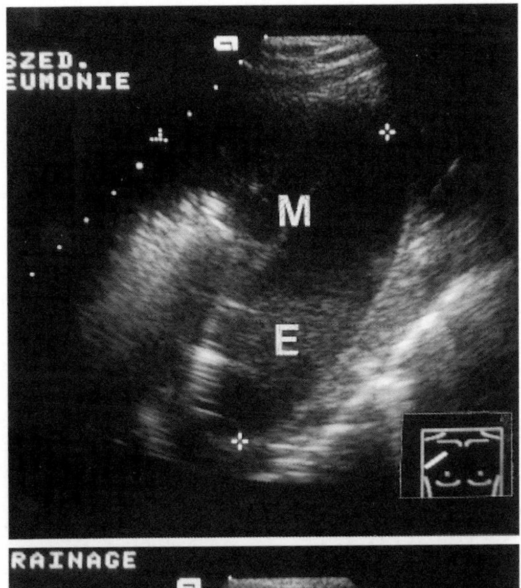

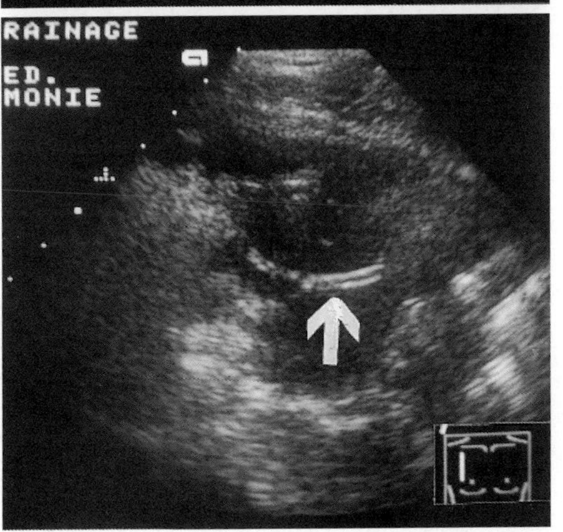

Abb. 6.6. a Abszedierende Pneumonie mit schwerem Verlauf bei einem jungen Mann. Sonographisch konnte die Abszeßbildung frühzeitig entdeckt werden. Der Abszeß (+–+) ist deutlich durch eine Membran *(M)* abgekapselt. In den dorsalen Anteilen sedimentiert der Eiter *(E)*. US-gezielt (**b**) wurde eine Saugspüldrainage (→) gelegt. Völlige Abheilung

lumige Saugspüldrainagen, wovon es mehrere gute handelsübliche Ausrüstungen gibt. Mittels Ultraschall wird die Position des Katheters kontrolliert, der sich in einem zweischichtigen Reflex darstellt (Abb. 6.6). Der Erfolg der Drainage kann laufend überprüft werden. Von 10 Lungenabszessen haben wir je 5 mittels Aspiration und 5 mit Saugspüldrainage erfolgreich drainiert. Ohne Komplikationen kam es in allen

Fällen zur Abheilung. Das Pneumothoraxrisiko wird minimiert, wenn man die Thoraxwand regelgrecht schräg passiert und dort in die Lunge eingeht, wo der Abszeß der Pleura am nächsten liegt.

6.3 Tuberkulose

Die Lungentuberkulose ist im Röntgenbild vielgestaltig und in der Thoraxsonographie fast noch vielgestaltiger. Die Wertigkeit des Ultraschalls ist dabei noch unzureichend untersucht. Sie kann die Erreger-

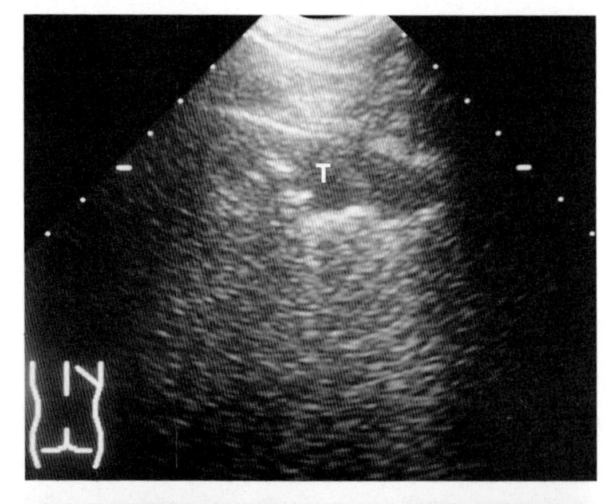

Abb. 6.7. Florider tuberkulöser Herd *(T)* im rechten Oberlappen, 3,5 × 2 cm groß. Das Infiltrationsareal imponiert kompakt und homogen, ist jedoch unregelmäßig zackig begrenzt

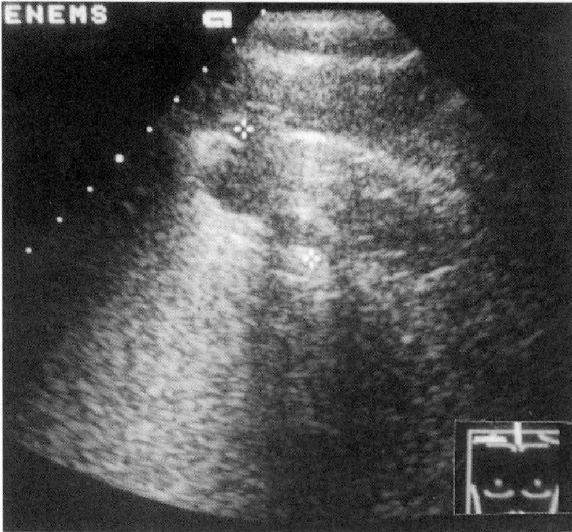

Abb. 6.8. Lungenspitzentuberkulose bei einem 18jährigen Burschen, 8 Wochen nach Therapiebeginn. 7 × 2,5 cm großer Herd, der sich im Verlauf sonographisch besser kontrollieren läßt als im Röntgenbild

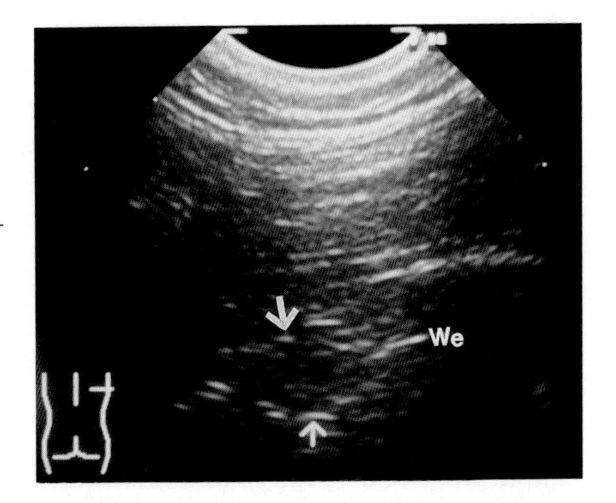

Abb. 6.9. Fibrotische tuberkulöse Narbe (→) im rechten Unterlappen, 2,5 × 1,2 cm groß, unscharf begrenzt. Durch US-gezielte Biopsie und Verlaufsbeobachtung wurde ein Karzinom ausgeschlossen. *We* = Wiederholungsecho

diagnostik durch ultraschallgeführte Aspiration oder auch Biopsie verbessern und erleichtert die Darstellung von subpleuralen Einschmelzungen und begleitender pleuraler Flüssigkeit. Im Rahmen von Verlaufskontrollen können Röntgenaufnahmen erspart werden (Yuan et al. 1993, Kopf et al. 1994).

Sonomorphologie der Lungentuberkulose: Bei florider Tuberkulose kommen subpleural einzelne oder zahlreiche echoarme Läsionen zur Ansicht (Abb. 6.7), deren Darstellung durch einen begleitenden Pleuraerguß begünstigt werden kann. Sie können rundlich oder unregelmäßig geformt und von relativ homogener Textur sein. Je nach Größe der Läsion zeigen diese Infiltrate auch Lufteinschlüsse wie bei einer Pneumonie.

Die knötchenförmige Aussaat bei Miliartuberkulose zeigt sich in multiplen, einige Millimeter großen subpleuralen Knötchen.

Einschmelzungen lassen sich gut darstellen, Luft in Kavernen kann aber störend sein und die Darstellbarkeit einschränken. Der spezifische Pleuraerguß ist auch in kleinsten Mengen einsehbar. Es können pleurale Verdickungen beobachtet werden. Das Ansprechen auf eine tuberkulostatische Therapie kann gerade bei pleuralen und subpleuralen Tb-Läsionen sonographisch gut überwacht werden (Abb. 6.8).

Ein „kalter“ Durchwanderungsabszeß kommt als runde, weitgehend echolose Struktur zu Bilde, bei deren Kompression sieht man flottierende Rand- und Binnenechos. Die ultraschallgeführte Punktion bringt die säurefesten Stäbchen zur Darstellung wie im Fall von Abb. 2.3.

Ein altes Tuberkulom kann im Ultraschall wie im Röntgen karzinomverdächtig sein, weist aber kaum „Krebsfüßchen" auf. In einem solchen Fall haben wir eine Fehlpunktion angenommen, bis die Autopsie den alten tuberkulösen Herd bestätigt hat. Alte, subpleurale Tuberkulosenarben können aber auch relativ echodicht und sternförmig konfiguriert sein und bei Verkalkungen Schallschatten werfen (Abb. 6.9).

Zusammenfassung

Bei pneumonischen Lungeninfiltrationen liegt die Wertigkeit der Thoraxsonographie nicht in der Primärdiagnostik, sondern im Abschätzen begleitender pleuraler Flüssigkeit, in der rechtzeitigen Entdeckung von Abszeßbildungen und in der ultraschallgeführten Erregergewinnung bzw. Drainage.

Literatur

Anzböck W, Braun U, Stellamor K (1990) Pulmonale und pleurale Raumforderungen in der Sonographie. In: Gebhardt J u. a. (Hrsg) Ultraschalldiagnostik '89. Springer, Berlin Heidelberg New York Tokyo, S 394–396

Blank W (1994) Sonographisch gesteuerte Punktionen und Drainagen. In: Braun B et al. : Ultraschalldiagnostik Lehrbuch und Atlas. ecomed Landsberg III/11.1 S 15–22

Braun U, Anzböck W, Stellamor K (1990) Das Sonographische Erscheinungsbild der Pneumonie. In: Gebhardt J u. a. (Hrsg) Ultraschalldiagnostik '89. Springer, Berlin Heidelberg New York Toyko, S 392–393

Chen CH, Kuo ML, Shih JF, Chang TP, Perng RP (1993) Etiologic diagnosis of pulmonary infection by ulrasonically guided percutaneous lung aspiration. Chung Hua Taiwan 51:5

Gehmacher O, Mathis G, Kopf A, Scheier M (1995) Ultrasound imaging of pneumonia. Ultrasound Med Biol

Kopf A, Metzler J, Mathis G, (1994) Sonographie bei Lungentuberkulose. Bildgebung G1 Suppl 2:12

Lee LN, Yang PC, Kuo SH, Luh KT, Chang DB, Yu CJ (1993) Diagnosis of pulmonary cryptococcosis by ultrasound guided percutaneous aspiration. Thorax 48:75–78

Liaw YS, Yang PC, Wu ZG, Yu CJ, Chang DB, Lee LN, Kuo SH, Luh KT (1994) The bacteriology of obstructive pneumonitis. Am J Respir Crit Care Med 149:1648–1653

Mathis G, Metzler J Fußenegger D, Feurstein M, Sutterlütti G (1992) Ultraschallbefunde bei Pneumonie. Ultraschall Klin Prax 7:45–49

Sonnenberg E, Agostino H, Casola G, Wittich GR, Varney RR, Harker C (1991) Lung abscess: CT-guided drainage. Radiology 178:347–351

Targhetta R, Chavagneux R, Bourgeois JM, Dauzat M, Balmes P, Pourcelot L (1992) Sonographic approach to diagnosing pulmonary consolidation. J Ultrasound Med 11:667–672

Weinberg B, Diaboumakis EE, Kass EG, Seife B, Zvi ZB (1986) The air bronchogram: sonographic demonstration. AJR 147:593–595

Yang PC, Lee YC, Wu HD, Luh KT (1990) Lung tumors associated with obstructive pneumonitis: US studies. Radiology 174:593–595

Yang PC, Luh KT, Lee YC (1991) Lung abscesses: ultrasonography and ultrasound-guided transthoracic aspiration. Radiology 180:171–175

Yang PC, Luh KT, Chang DB, Yu CJ, Kuo SH, Wu HD (1992) Ultrasonographic evaluation of pulmonary consolidation. Am Rev Resp Dis 146:757–762

Yu CJ, Yang PC, Wu HD, Chang DB, Kuo SH, Luh KT (1993) Ultrasound study in unilateral hemithorax opification. Am Rev Respir Dis 147:430–434

Yuan A, Yang PC, Chang DB, Yu CJ, Lee LN, Wu HD, Kuo SH, Luh KT (1993) Ultrasound guided aspiration biopsy for pulmonary tuberculosis with unusual radiographic appearances. Thorax 48:167–170

7 Lungenatelektasen

Dystelektasestreifen unklarer Zuordnung sind im Thoraxröntgen häufig, ausgeprägte Atelektasen in Pleuraergüssen entgehen dem Röntgenbild. Bei der Thoraxsonographie lassen sich bei Vorliegen eines Pleuraergusses oft Kompressionsatelektasen nachweisen. Ihre Abgrenzung zu anderen Lungenkonsolidierungen wie Lungeninfarkte oder Pneumonien kann mitunter schwierig sein. Doch bieten sich einige sonomorphologische Kriterien an, die in den meisten Fällen eine relativ sichere Aussage ermöglichen.

Kompressionsatelektasen sind charakteristischerweise schmal, spitzwinklig und zipfelmützenförmig. Der Rand zum Pleuraraum, bzw. Pleuraerguß ist glatt und konkav, häufig bikonkav, während die Begrenzung zur voll belüfteten Lunge unregelmäßig und unscharf ist. Sie weisen ein mäßig echogenes Bild mit guter Schalltransmission auf. Durch den Pleuraerguß kann die Echogenität auch verstärkt sein. Ihre Textur ist leberähnlich, manchmal etwas grob mit sehr kleinen Lufteinschlüssen (Abb. 7.1 und 7.2). Atelektasen sind selten nur an einer Stelle lokalisiert, sondern häufig über weite Strecken des Lungenunterrandes einsehbar. Bei voluminösen Ergüßen kann man sie oft von dorsal bis ventral einstellen. Im Verhältnis zum Ergußvolumen sind Atelektasen klein und lassen sich nach Ergußdrainage kaum mehr oder nicht mehr nachweisen. Bei Inspiration kann die Kompressionsatelektase belüftet und kleiner werden, selten ganz verschwinden.

Sonomorphologie von Kompressionsatelektasen

- schmal und zipfelmützenförmig
- konkav
- mäßig echogen
- flottierend im Erguß
- belüftet bei tiefer Inspiration

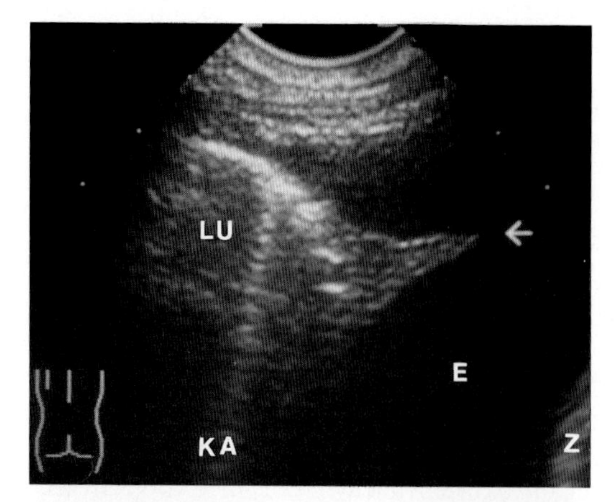

Abb. 7.1. Kompressionsatelektase (→) in einem voluminösen Pleuraerguß von 1100 ml infolge Herzinsuffizienz: zipfelmützenförmig, bikonkav, unscharf zur belüfteten Lunge begrenzt. E = Pleuraerguß, *Z* = Zwerchfell, *LU* = belüftete Lunge, *KA* = Kometenschweifartefakt

a

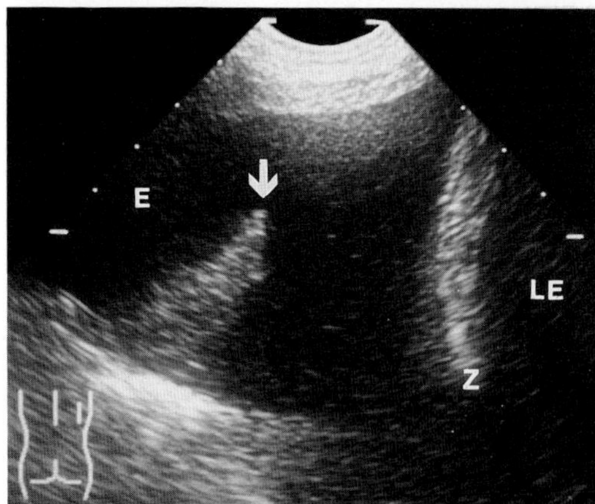

b

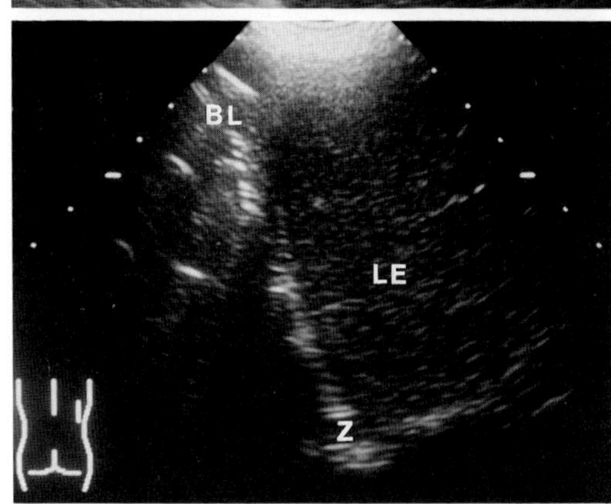

Abb. 7.2. a Kompressionsatelektase (→) in einem voluminösen Pleuraerguß von 1300 ml ebenfalls bei Herzinsuffizienz. Sie läßt sich über weite Teile des Lungenunterrandes darstellen. *E* = Pleuraerguß, *Z* = Zwerchfell, *LE* = Leber. **b** Nach Ergußpunktion ist die Atelektase nicht mehr nachweisbar. *BL* = belüftete Lunge, *Z* = Zwerchfell, *LE* = Leber

Man kann auch beobachten, daß es infolge Kompression zu einer Volumenminderung des Lungengewebes kommt, während beispielsweise bei Lungeninfarkten diese neben anderen Unterscheidungskriterien durch Anschoppung eine Wölbung der Oberfläche verursachen. Bei subpulmonalen Pleuraergüssen können plattenartige Atelektasen an der Lungenunterseite festgestellt werden.

Im Nachweis von Atelektasen ist die Thoraxsonographie dem Röntgenbild deutlich überlegen. Oft verschwinden sie beim radiologischen Verfahren im Erguß. Beim liegenden Patienten weist das Röntgenbild eine Sensitivität von nur 7% für rechtsseitige Atelektasen und von 13,5% für linksseitige Atelektasen auf (Kelbel et al. 1991).

Die klinische Bedeutung des häufigen sonographischen Nachweises von Atelektasen ist noch nicht hinreichend geklärt. Doch kann er insbesondere bei respiratorischer Insuffizienz und bei beatmeten Patienten zu entsprechenden therapeutischen Konsequenzen Anlaß geben.

Obturationsatelektasen treten bei stenosierenden Bronchialkarzinomen oder manchmal auch durch Sekretpropfen auf. Ein Pleuraerguß fehlt meistens. Die Kompressionsatelektase bietet das Bild einer poststenotischen Pneumonie mit wenig Lufteinschlüssen, ein leberähnliches Echomuster mit Fluidobronchogramm.

Zusammenfassung

Atelektasen, meist sind es Kompressionsatelektasen in Pleuraergüssen lassen sich sonographisch besser darstellen als im Thoraxröntgen. Sie bieten ein charakteristisches Bild, sind jedoch in die sonomorphologische Differentialdiagnose zu anderen Lungenkonsolidierungen miteinzubeziehen.

Literatur

Kelbel C, Börner N, Schadmand S, Klose KJ, Weilmann LS, Meyer J Thelen M (1991) Diagnostik von Pleuraergüssen und Atelektasen: Sonographie und Radiologie im Vergleich. Fortschr. Röntgenstr. 154,2:159–163

Reuß J (1992) Lungenverschattungen. In: Rettenmaier G, Seitz K (Hrsg) Sonographische Differentialdiagnostik. edition medizin, Weinheim, S 803–832

Schwerk WB, Görg C (1993) Pleura und Lunge In Braun B et al. (Hrsg) Ultraschalldiagnostik Lehrbuch und Atlas. ecomed Landsberg III/2.2 S 36–38

8 Perikard und Mediastinum

8.1 Perikard

Um den Rahmen dieser Darstellung nicht zu sprengen, wird auf die Echokardiographie nicht eingegangen. Es soll lediglich die Abgrenzung pleuropulmonaler Läsionen von denen des Perikards kurz aufgezeigt werden. Andererseits kann der Ultraschaller auch ohne Kenntnis der eigentlichen Echokardiographie einige wichtige Veränderungen am Perikard im Rahmen der Thoraxsonographie beurteilen, beispielsweise eine Herzbeuteltamponade.

Der ***Perikarderguß*** kommt als echofreier Saum um das pulsierende Herz zur Darstellung, besonders gut von apikal zu sehen: das Herz tanzt gleichsam in der Flüssigkeit (Abb. 8.1). Die Perikardblätter sind echodichter als das Myokard, Verdickungen können eingesehenwerden, wie Fibrinzotten, tuberkulöse Einlagerungen oder auch metastatische Auflagerungen.

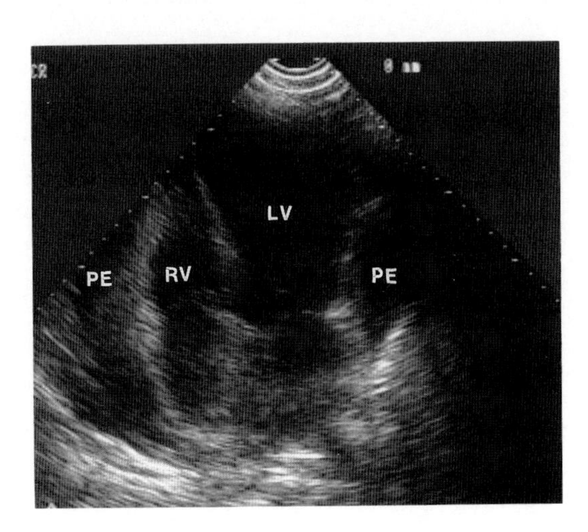

Abb. 8.1. Perikarderguß *(PE)* im apikalen Vierkammerblick.
RV = Rechter Ventrikel,
LV = Linker Ventrikel

In einem ***Hämatoperikard*** finden sich feine, schleierartige Echos. Beim Thoraxtrauma kann dieser sonographisch sofort erkannt werden und durch engmaschige Kontrollen die Entwicklung einer Herzbeuteltamponade rechtzeitig diagnostiziert werden.

Beim Ausschluß eines kleinen Perikardergusses ist das zweidimensionale B-Bild der M-Mode-Technik allerdings unterlegen. Diese hat eine deutlich bessere Auflösung und eignet sich besser in der Entdekkung kleiner Perikardergüsse.

Bei alleiniger B-Bild-Sonographie kann ein linksbasaler Pleuraerguß irrtümlich als Perikarderguß fehlgedeutet werden. Der Perikarderguß ist üblicherweise über der Vorder- und Hinterwand nachweisbar. Zur Differenzierung von pleuraler und perikardialer Flüssigkeit eignet sich als Landmarke die Aorta descendens, die außerhalb des Herzbeutels liegt. Der Perikarderguß macht einen echofreien Spalt zwischen der Aorta und der Herzhinterwand.

Schließlich kann ein epikardiales Fettgewebe so echoarm wie Flüssigkeit sein. Es ist aber lediglich über der Herzvorderwand zu sehen und damit durch das Fehlen von Flüssigkeit unter der Hinterwand ein Perikarderguß auszuschließen. Außerdem ändert epikardiales Fettgewebe seine Form nicht während des Herzzyklus, während der Perikarderguß in des Systole sein Maximum zeigt.

8.2 Transthorakale Mediastinalsonographie

Die diagnostischen Möglichkeiten der Sonographie zur Abklärung von mediastinalen Erkrankungen, insbesondere von Lymphknotenveränderungen, sind bisher nicht oder nur unzureichend ausgeschöpft. Zwar hat Goldberg schon 1971 auf den suprassternalen sonographischen Zugangsweg zum Mediastinum hingewiesen, doch ist es den bahnbrechenden Arbeiten von K. Wernecke und seinen Mitarbeitern zu danken, diese Methode zur Praxisreife verfeinert und durch große klinische Studien deren Effizienz beweisen zu haben (Wernecke et al. 1986–1991).

Voraussetzung für eine sonographische Untersuchung des Mediastinums ist eine gründliche Kenntnis der mediastinalen Anatomie und eine subtile Untersuchungstechnik, mit der über den suprasternalen und beidseitig parasternalen Zugang alle mediastinalen Lymphknotenstationen aufgesucht und beurteilt werden. Dabei dienen die arteriellen und venösen Gefäße als anatomische Leitstrukturen.

Suprasternale Sonographie des Mediastinums

Die suprasternale Untersuchung erfolgt in Rückenlage des Patienten. Wie bei der Schilddrüsensonographie erzielt man durch Unterpolsterung des Schultergürtels eine maximale Reklination des Kopfes. Ein möglichst schmaler Sektorschallkopf (3–5 MHz) wird unmittelbar oberhalb des Manubrium sterni in der Fossa jugularis positioniert.

1. Die Untersuchung beginnt mit ***koronaren Schnittführungen***, mit denen die V. cava superior unddie einmündenden brachiozephalen Venen dargestellt werden. Medial der längs angeschnittenen oberen Hohlvene findet sich der quergetroffene Aortenbogen. Durch entsprechende Angulierungen des Schallkopfes können sämtliche Abschnitte des Aortenbogens im Querschnitt, die rechte Pulmonalarterie im Längsschnitt bis in den Lungenhilus und der linke Vorhof mit den einmündenden Lungenvenen eingesehen werden.

2. In einer ***parallel zur Ebene des Aortenbogens*** verlaufenden ***halbsagittalen Schnittebene*** wird die Untersuchung fortgesetzt, wobei neben der Beurteilung des Aortenbogens und den abgehenden supraaortalen Arterien das zwischen Aortenbogen und Pulmonalarterie gelegene aortopulmonale Fenster zur Darstellung kommt, das im Normalfall auch mit den hier liegenden Lymphknoten echoreich strukturiert ist. Mit dieser Schnittführung werden die ***supraaortale Lymphknotenregion*** und das ***aortopulmonale Fenster*** beurteilt.
3. Durch eine ***parallel zur Ebene des Truncus brachiocephalicus***, nahezu senkrecht zum Aortenbogen verlaufende halbsagittale Schnittführung wird die suprasternale Untersuchung ergänzt. Diese Schnittebene dient der Beurteilung der normalerweise homogen echoreichen rechten Paratrachealregion, die durch entsprechendes Kippen des Schallkopfes vollständig eingesehen werden kann.

Der Einsatz der farbkodierten Dopplersonographie erleichtert das Lernen und die Anwendung der mediastinalen Sonographie erheblich (Abb. 8.2 und 8.3).

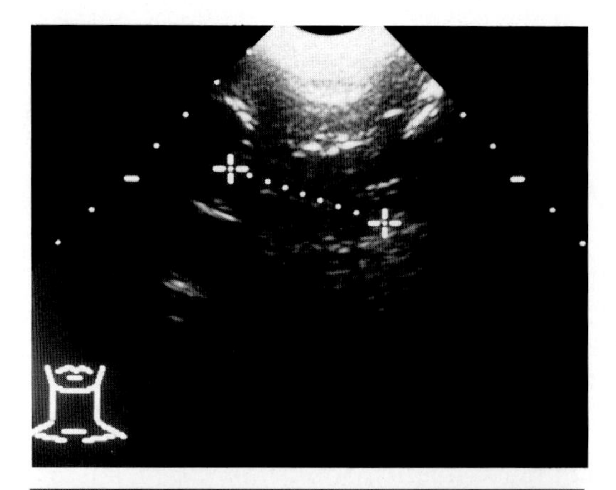

Abb. 8.2. Lymphknotenmetastase (+–+) eines Adenokarzinoms der Lunge im vorderen, oberen Mediastinum, sonographisch dargestellt mittels suprasternalem Zugang

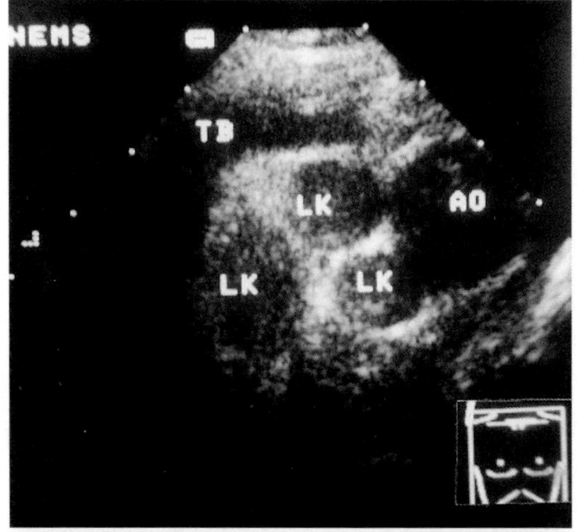

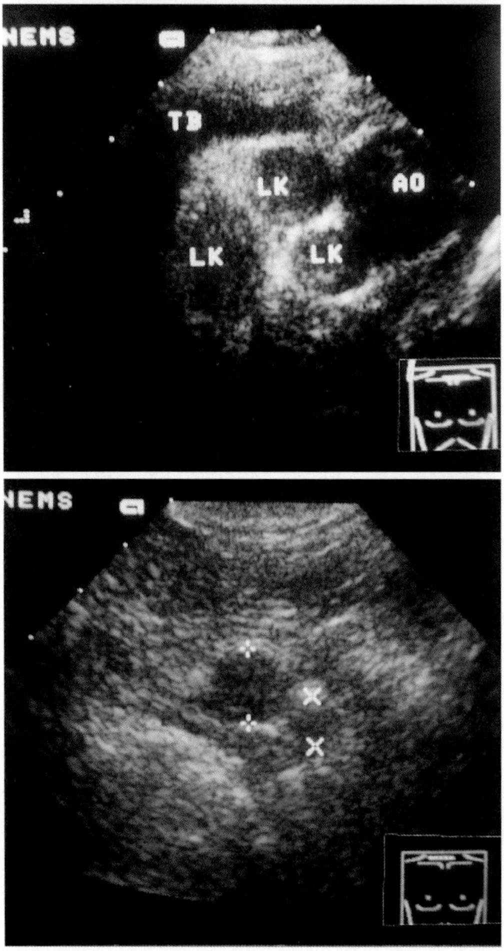

a

b

Abb. 8.3 a. Lymphknotenmetastasen *(LK)* eines kleinzelligen Bronchialkarzinoms im vorderen oberen Mediastinum, suprasternaler Zugang. *AO* = Aorta, *TB* = Truncus brachiocephalicus. **b** Nach dem ersten Chemotherapiezyklus sind die Lymphknotenmetastasen (+–+, x–x) etwa um die Hälfte kleiner und beginnen zu „verdämmern". Nach dem 2. Chemotherapiezyklus sind sie nicht mehr nachweisbar

Parasternale Sonographie

Bei der folgenden parasternalen mediastinalen Sonographie wird der Patient streng auf die rechte und linke Seite gelagert. Mit Ausnahme von Lungenemphysempatienten entsteht in Seitenlage eine Anlagerung des Mediastinums an die vordere Thoraxwand und damit ein paravertebrales Schallfenster, wobei die besten Untersuchungsbedingungen in der Regel in Exspiration gefunden werden.

Beginnend in Rechtsseitenlagerung des Patienten werden unmittelbar neben dem Sternum Querschnitte angelegt, der Schallkopf von kranial nach kaudal verschoben und gekippt. Dabei lassen sich alle großen Gefäße darstellen. In rechtsparasternalen Sagittalschnitten wird zunächst die Aorta ascendens im Längsschnitt eingestellt, dann die dorsal der rechten Pulmonalarterie und kranial des linken Vorhofs gelegene Subkarinalregion identifiziert und beurteilt.

Abschließend werden in Linksseitenlage linksparasternale axiale Schnitte wiederum von kranial nach kaudal angefertigt, wobei erkennbar sind: Aorta aszendens, Truncus pulmonalis mit rechter Pulmonalarterie und Teilen der linken Pulmonalarterie, linker Vorhof mit einmündenden linken Lungenvenen und beide Ventrikel. Auch im linksparasternalen Sagittalschnitt wird durch die Aorta ascendens im Längsschnitt die Subkarinalregion eingestellt.

Die auf diesem Wege eingestellten Lymphknotenstationen mit Fett und Bindegewebe kommen im Normalbefund als homogene, echodichte Strukturen zur Darstellung, in denen sich normale Lymphknoten nicht abbilden lassen. Entzündlich oder neoplastisch infiltrierte Lymphknoten jedoch heben sich als echoarme Gebilde gut vom umliegenden Gewebe ab (Abb. 8.4).

Eingeschränkt wird die sonographische Beurteilbarkeit des Mediastinums durch Mediastinalverziehungen infolge Operation, Bestrahlung oder Entzündung (Tuberkulose). Des weiteren sind Wirbelsäulendeformitäten und das Lungenemphysem hinderlich. Unzugänglich sind dem Ultraschall des hintere Mediastinum, der Lungenhilus und die Paravertebralregion.

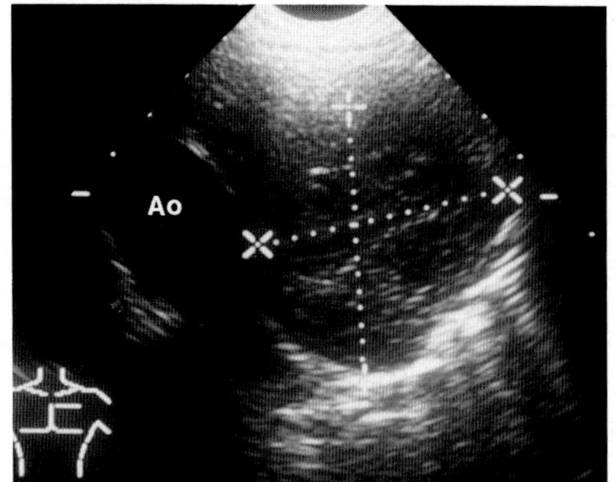

a

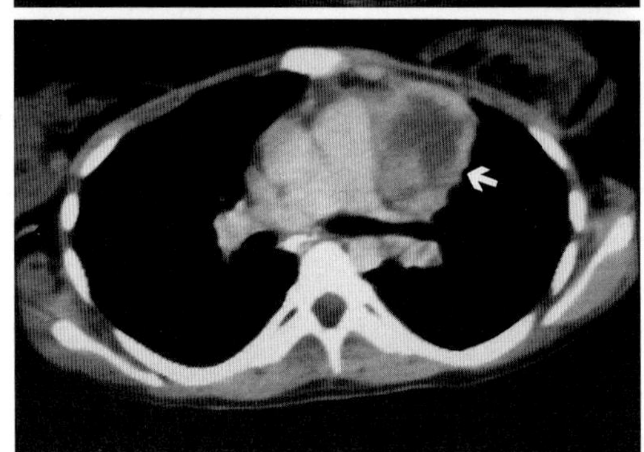
b

Abb. 8.4. a 6 × 5 cm großes Hodgkin-Lymphom im linken, vorderen, oberen Mediastinum (x–x, +–+). US-Darstellung durch parasternalen Querschnitt. *Ao* = Aorta. Das Ansprechen auf Chemotherapie ließ sich sonographisch gut dokumentieren. **b** Das CT-Bild (→) bestätigt den Befund in Lage, Form und Größe

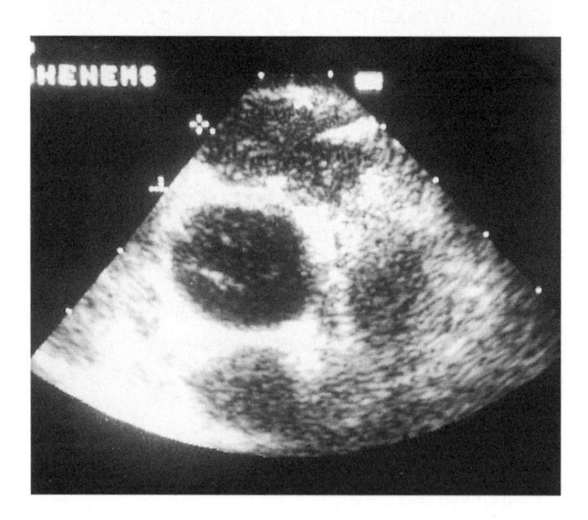

Abb. 8.5. Lymphknotenpaket eines kleinzelligen Bronchuskarzinoms im unteren Mediastinum, dargestellt durch transösophageale Mediastinalsonographie. Auch hier ließ sich der Therapieerfolg gut verfolgen, bestätigt durch CT

Ultraschallgeführte Biopsie von Mediastinaltumoren

Tumoren in vorderen Mediastinum sind einer ultraschallgeführten Biopsie zugänglich, wobei die Vorteile der Methode in der Real-time-Bildgebung und in der guten Abgrenzbarkeit von Gefäßen liegen. Da es sich häufig um Lymphome handelt, sollte grundsätzlich eine weitlumige Schneidbiopsiekanüle (14–18 gg.) verwendet werden, um ausreichend Material zu gewinnen, das eine Tumortypisierung zuläßt. Dabei wird in 84% (52/62) der Patienten eine histologische Diagnose gestellt (Heilo 1993). In dieser Sutdie wurde einmal eine milde Hämoptyse beobachtet, ein Patient bekam analgetikabedürftige Schmerzen, aber keinerlei schwere Komplikation. Auch in anderen Arbeiten zur ultraschallgeführten Biopsie im oberen Mediastinum ist die Trefferquote gut und die Komplikationsrate gering (Wernecke et al. 1989, Yang et al. 1992).

8.3 Transösophageale Mediastinalsonographie

Durch die Verbreitung der transösophagealen Echokardiographie mit biplaner Darstellung und unter Verwendung geeigneter Schallfrequenzen lassen sich auch transthorakal unzugängliche Regionen wie die Paravertebralregion und das hintere Mediastinum sonographisch einsehen (Abb. 8.5). Dabei werden Ergebnisse erzielt, die mit der Computertomographie vergleichbar sind, wenn nicht besser (Jakob et al. 1990). Neben einem exakten Lymphknotenstatus kann die Beweglichkeit des Tumors sowie die Invasion von Lungenkarzinomen in die großen Gefäße und in den Herzbeutel gut beurteilt werden (Dambara et al. 1993).

Zusammenfassung

Mediastinale Tumoren liegen am häufigsten im vorderen oberen Mediastinum. Hier sind sie der Ultraschallbildgebung für Diagnostik und Therapieverlauf mittels suprasternalem und parasternalem Zugang gut zugänglich. Zur Beurteilung des hinteren Mediastinums und der Paravertebralregion empfiehlt sich der Einsatz der transösophagealen Mediastinalsonographie.

Literatur

Dambara T, Ueki J, Kira S (1993) Transoesophageal ultrasonography in the staging of lung cancer. Lung cancer 9:157–170

Heilo A (1993) Tumors in the mediastinum: US-guided histologic core-needle biopsy. Radiology 189:143–146

Jakob H, Lorenz J, Clement T, Börner N, Schweden F, Erbel R, Oelert H (1990) Mediastinal lymph node staging with transesophageal echography in cancer of the lung. Eur J Cardio-thorac Surg 4:355–358

Wernecke K (1991) Mediastinale Sonographie. Untesuchungstechnik, diagnostische Effizienz und Stellenwert in der bildgebenden Diagnostik des Mediastinums. Springer Berlin Heidelberg New York Tokyo

Wernecke K, Vasallo P, Peters PE, Bassewitz DB (1989) Mediastinal tumors: biopsy under US guidance. Radiology 172:473–476

Yang PC, Chang DB, Lee YC, Yu CJ, Kuo SH, Luh KT (1992) Mediastinal malignancy: ultrasound guided biopsy through the supraclavicular approach. Thorax 47:377–380

9 Duplexsonographie peripherer Lungenkonsolidierungen

Mittels farbkodierter Duplexsonographie wird in vielen Organen (Leber, Schilddrüse, Lymphknoten) versucht, anhand der Flußparameter und der Vaskularisation zwischen benignen und malignen Läsionen zu unterscheiden oder den Entzündungsgrad wie z.B. am Darm abzuschätzen.

An der Lunge ist die Duplexsonographie durch die Atemexkursion erschwert, welche Artefakte begünstigt oder die Abnahme eines Strömungssignals verunmöglicht. Der Patient muß in der Lage sein, für einige Sekunden den Atem anzuhalten.

In einer prospektiven Studie an 74 Patienten mit 78 peripheren Lungenläsionen konnten bei 32 Malignomen (64%) und bei 22 benignen Herden (79%) verwertbare Dopplersignale gewonnen werden, wobei Malignome in allen Parametern signifikant niedrigere Flußmuster zeigten. Bei Plattenepithelkarzinomen konnte nur in 13 von 28 Fällen ein Flußsignal erhoben werden, während Adenokarzinome (9/11) und kleinzellige Karzinome (10/11) bessere Durchblutung zeigten (Yuan et al. 1994).

In einer anderen Untersuchung an 50 Patienten konnte lediglich bei 3 von 27 Malignomen ein Dopplersignal gewonnen werden. Bei 20 von 23 entzündlichen Herden wurden typische pulsatil-arterielle und venöse Flußmuster erhoben. Von diesen Patienten wurden allerdings nur die letzten 8 mit Farbdoppler untersucht (Civardi et al. 1993).

Nach eigenen Erfahrungen an bisher 47 Patienten zeigen Pneumonien (n = 21) überwiegend eine starke regelmäßige Durchblutung mit regulärer Gefäßstruktur (Abb. 9.1). Bei 17 von 18 Lungeninfarkten konnten keine Farbdopplersignale in der Läsion gesehen werden. In 4 (22%) Fällen ließ sich der Durchblutungsstopp am zuführenden Gefäß gut darstellen. Ein 6 cm großer Lungeninfarkt zeigte schon einige Stunden nach dem Embolieereignis eine gute Durchblutung, möglicherweise als Ausdruck der Reperfusion. Bei Malignomen (15 Lun-

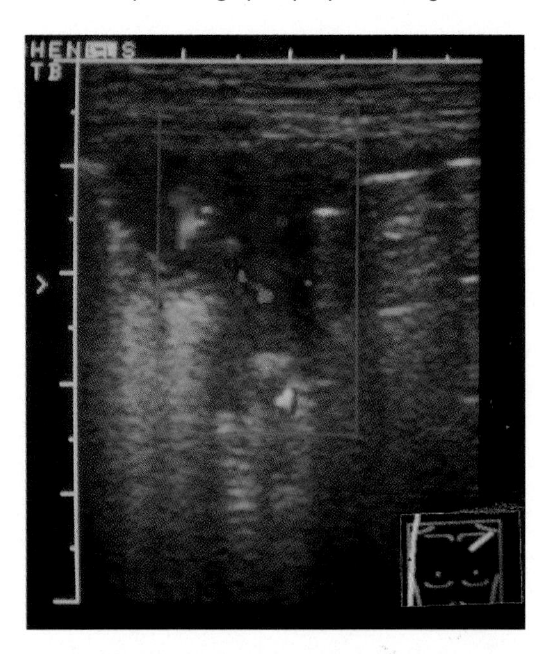

Abb. 9.1. Pneumonisches Infiltrat im linken Oberlappen. Im Farbdoppler zeigt sich ein reguläres, aber deutlich verstärktes Durchblutungsmuster

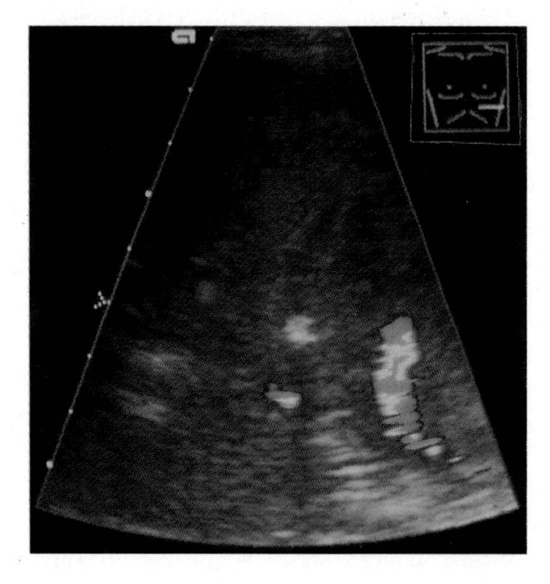

Abb. 9.2. Großes, epidermoides Karzinom im linken Lungenunterlappen. Im Farbdoppler ist der Rand gut durchblutet, die Vaskularisation ist anatomisch irregulär. Es zeigt sich das für maligne Läsionen typische „Korkenzieherphänomen“

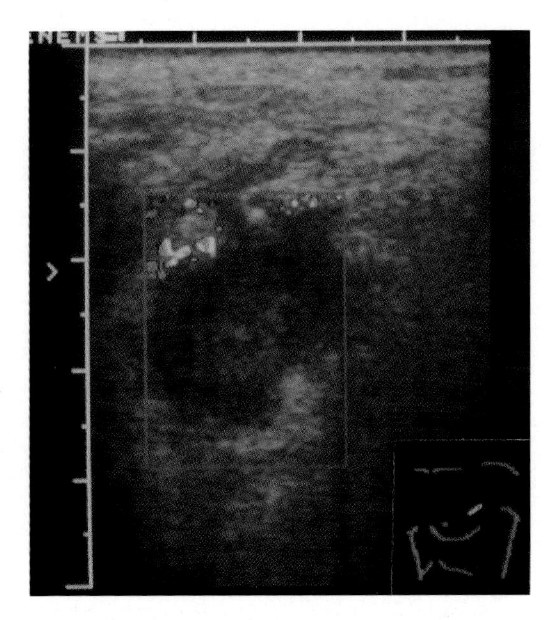

Abb. 9.3. Subpleurale Metastase eines Pankreaskarzinoms. Der Rand ist gut durchblutet, zentral lassen sich keine Dopplersignale feststellen. Entzündungen hingegen sind besonders zentral gut durchblutet

genkarzinome, 15 Metastasen) zeigten sich irreguläre „korkenzieherartige" Flußmuster (Abb. 9.2 und 9.3). Die Durchblutung war besonders am Rand nachweisbar. In kleinen Metastasen unter 2 cm ließ sich kein Farbdopplersignal entdecken (Gehmacher et al. 1994).

Interessante Aufschlüsse kann die Farddopplersonographie auch in der Verlaufskontrolle von Lungeninfarkten geben, wenn ein ursprünglich nicht durchbluteter Herd wieder durchblutet wird (Yuan et al. 1993).

Bei Pleuritis mit schmalen fokalen Ergüssen und Millimeter dünnen subpleuralen Infiltrationen und normalem Thoraxröntgen konnten wir in diesen Infiltrationen eine starke Durchblutung der viszeralen Pleura und der Infiltration sehen (s. Abb. 9.2 a, b). Allerdings können auch Pleuraschwarten stark vaskularisiert sein. Diese sind dann meistens auch im Thoraxröntgen zu sehen. Auch hier hat die Interpretation des sonographischen Befunds im Einklang mit diesem und dem klinischen Bild des Patienten zu erfolgen.

In den letzten Jahren erfolgten maßgebliche technische Verbesserungen in der dopplersonographischen Gefäßdarstellung. Dadurch könnte die Erforschung der Vaskularisation von peripheren Lungenherden stimuliert und entscheidend verbessert werden.

Zusammenfassung

Die farbkodierte Duplexsonographie von peripheren Lungenläsionen ist noch zu wenig erforscht, daß entsprechende differentialdiagnostische Empfehlungen gegeben werden könnten. Es zeichnen sich Kriterien (reguläre oder fehlende Vaskularisation und Neovaskularisation) ab, die als wertvolle Zusatzinformation dienlich sein könnten.

Literatur

Civardi G, Fornari F, Cavanna L, Di Stasi M, Sbolli G, Rossi S, Buscarini E, Buscarini L (1993) Vascular Signals from pleura-based lung lesions studied with pulsed doppler ultrasonography

Gehmacher O, Mathis G (1994) Farbkodierte Duplexsonographie peripherer Lungenherde – ein diagnostischer Fortschritt? Bildgebung 61 Suppl.2:11

Yuan A, Yang PC, Chang DB (1993) Pulmonary infarction: Use of color doppler sonography for diagnosis and assessment of reperfusion of the lung. AJR 160:419

Yuan A, Chang DB, Yu CY, Kuo SH, Luh KT, Yang PC (1994) Color doppler sonography of benign and malignant pulmonary masses

10 Bildartefakte und Pitfalls

Bei der Ultraschalluntersuchung der Pleura und der Lungen ist im Vergleich zum Abdomen mit wesentlich mehr Artefakten zu rechnen, mit sehr kleinen und auch größeren Bildteilen, die der wirklichen Objektstruktur nicht entprechen. Diese zu kennen und bei jeder Anwendung zu bedenken, ist für den Untersucher wichtig, will er nicht einer Fata Morgana anheimfallen und falsche Bildinterpretationen vermeiden.

Artefakte wirken störend, andererseits aber durchaus auch aufschlußreich in ihrer Informationsqualität. Man muß sie sehen und lesen können. Wer Ultraschallerfahrung im Abdomen oder in der Echokardiographie hat, kann viele Artefaktphänomene in den Thorax übertragen. Wer mit dem Ultraschall am Thorax beginnt, sollte sich sorgfältig in Sein und Schein der Ultraschallbilder einsehen.

1. ***Luft*** reflektiert den Ultraschall sehr stark. Je nach Gasvolumen, Impedanzunterschied und Rauhigkeit an der Grenzfläche kann es dabei zu einer
   - weitgehenden Absorption der Ultraschallenergie,
   - einer totalen Reflexion mit entsprechendem Schallschatten oder
   - partiellen Reflexionen mit Wechsel von Transmission und schmalen Schallschatten kommen.
2. In der Lunge befinden sich zahlreiche ***Grenzflächen:*** im Bronchoalveolarraum Luft / Bronchialsystem / Interstitium / Gefäßwand / Blut. Auch bei infiltrativen Lungenkonsolidierungen, die eine pathologische Schalltransmission ermöglichen, treten an diesen Grenzflächen Reflexionen auf, die noch nicht alle hinreichend gedeutet bzw. sicher zugeordnet werden können. Nicht jeder luftdichte Reflex bedeutet auch „Luft".

Am besten läßt sich die Vielgestaltigkeit der Grenzflächendarstellung an der Pleura und am Zwerchfell studieren. Entscheidend sind dabei der Einfallwinkel der Schallwellen und die Rauhigkeit der getroffenen Oberfläche. Bis zu einem Einfallwinkel von etwa 25° ist an der pleuropulmonalen Grenzfläche mit einer Totalreflexion zu rechnen. Ist die Pleura durch entzündliche oder narbige Veränderungen aufgerauht, kann sie auch in steileren Winkeln zur Darstellung kommen. Dies zeigt sich gut an der Lungenbasis, wenn bei subpulmonalen Ergüssen die Pleura diaphragmatica visceralis in steilem Winkel getroffen wird und entprechend der Rauhigkeit ihrer Oberfläche sehr unterschiedlich zur Darstellung kommt. Ähnlich ist die Situation an der mediastinalen Pleura bei suprasternalem Zugang.

Das Zwerchfell ist bei abdominalem Zugang, insbesondere durch die Leber, weitgehend einzusehen. Der Zwerchfellreflex ist infolge des großen Impedanzsprungs aber wesentlich dicker abgebildet als es der Realität entspricht. Beim seitlichen bzw. interkostalen Schallzugang kann das Zwerchfell in seinen thoraxwandnahen Anteilen gut abgebildet werden. Zentraler liegende Anteile des Zwerchfells können jedoch wegen des steilen Einfallwinkels nicht mehr so gut gesehen werden oder auch im Schallschatten des dargestellten Bereiches verschwinden. Es kann auch eine artifizielle Lücke im Zwerchfell entstehen, Verdikkungen des Zwerchfells können durch Schallstreuung vorgetäuscht werden. Ehe solche Verdickungen konstatiert werden, sind sie in 2 Ebenen darzustellen.

Die wichtigsten Artefaktphänomene, die in der Thoraxsonographie auftreten, sind

1. Komplette ***Schallschatten*** treten hinter den knöchernen Strukturen auf wie an den Rippen (s. Abb. 2.1). Wenn in der normalen Lunge der Schallschatten inkomplett imponiert, sind diese Echos in Wirklichkeit überwiegend Wiederholungsechos. Inkomplette Schallschatten treten hinter Bronchusreflexen auf, wobei die in diesem inkompletten Schallschatten dargestellten Echos täuschend ähnlich wie konsolidierte Lunge aussehen können (Abb. 10.1).
2. Bei der ***dorsalen Schallverstärkung*** handelt es sich um ein diagnostisch bedeutendes Phänomen durch echofreie, liquide Strukturen. Da in Flüssigkeiten fast keine Ultraschallenergie verloren geht, kommt es dorsal davon zu einer scheinbaren Schallverstärkung. Eine Überhöhung der Echointensität ist sowohl hinter liquiden als auch hinter soliden Strukturen wie Tumoren möglich (s. Abb. 4.1 und 4.3).

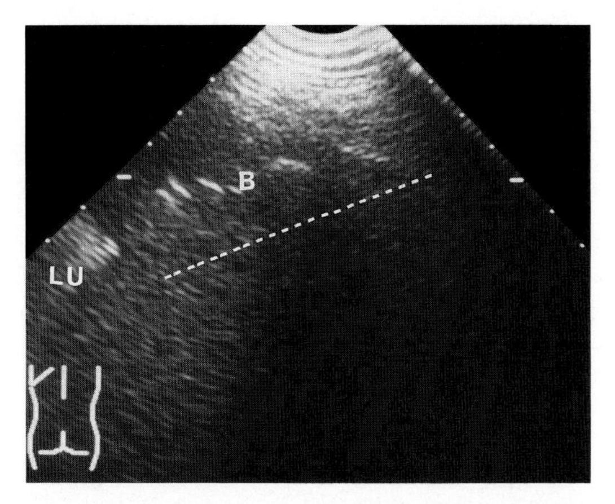

Abb. 10.1. Inkompletter Schallschatten unter einem zentralen Bronchusreflex *(B)* bei einem längsgeschnittenen Lungeninfarkt. Der tiefer liegende Rand des Infarkts, in etwa der gestrichelten Linie entsprechend, ist durch den Schallschatten nicht abgrenzbar. *LU* = belüftete Lunge. In solchen Situationen ist die Darstellung in verschiedenen Ebenen weiterführend und hilft, Artefakte als solche zu erkennen

Im Thorax tritt die dorsale Schallverstärkung besonders durch Pleuraergüsse auf, aber auch durch zentrale Einschmelzungen, Abszesse und echoarme solide Tumoren.

3. ***Rauschen*** (Streuechos) kommt an oberflächennahen Abschnitten echofreier Strukturen wie Pleuraergüssen und Zysten vor. Hier treten multiple kleine Reflexe auf, die zu einem verwaschenen milchig-nebligen Eindruck führen (s. Abb. 3.7).
4. ***Wiederholungsechos*** (Reverberationsechos, Vielfachechos, Mehrfachechos) entstehen am Thorax überwiegend durch eine bis zu 99%ige Reflexion der ersten Schallwellenfront an der Grenzfläche Gewebe/Luft. Die reflektierte Schallwellenenergie kann von der Schallkopfoberfläche nur zu einem geringen Teil aufgenommen werden, die restliche Energie wird an der Schallkopfoberfläche reflektiert und dringt mit etwas verminderter Intensität in einer neuerlichen Schallwellenfront wieder in das Gewebe und wird entsprechend der verlängerten Laufzeit in die Tiefe projiziert. Dieser Vorgang kann sich mehrfach wiederholen, wobei diese Wiederholungsechos durch den exakt regelmäßigen Abstand zwischen Schallkopf und erster Reflexionsebene (= meistens die Pleura) und untereinan-

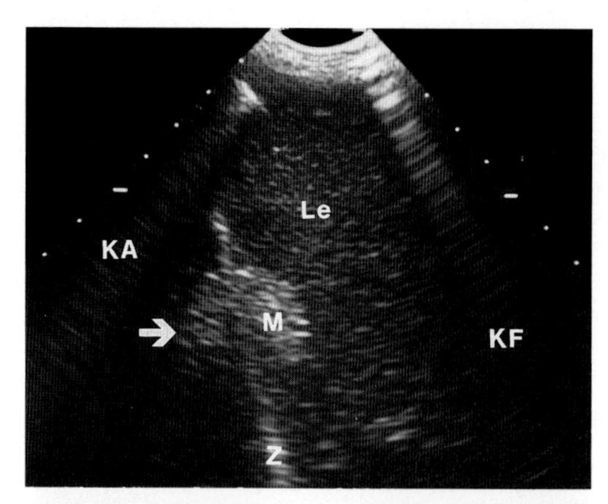

Abb. 10.2. Spiegelartefakt einer subdiaphragmalen Lebermetastase (→). Das Zwerchfell *(Z)* stellt den „Spiegel" dar. Der Artefakt ist weniger scharf begrenzt und etwas weniger echodicht als das Orginal (s. Text). *M* = Metastase, *Le* = Leber, *KA* = Kometenschweifartefakt, *KF* = Transducer-Kontaktfehler an der Haut

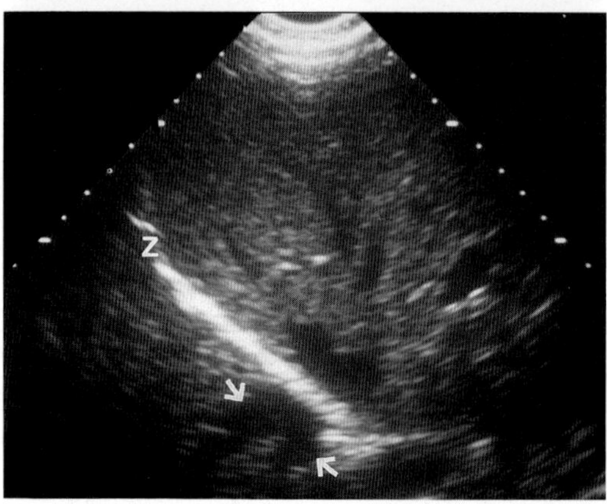

Abb. 10.3. Spiegelartefakt. Das Zwerchfell *(Z)* spiegelt die einmündenden Lebervenen (→). Daneben ist auch die Leberstruktur nach supradiaphragmal gespiegelt

der, sowie durch die horizontale Anordnung leicht als solche zu erkennen sind (s. Abb. 2.10 und 6.9)

5. Der ***Kometenschweif*** (Resonanzertefakt) beruht physikalisch auf demselben Phänomen wie das Wiederholungsecho. Besonders viele Revereberationen führen zum Bild des Kometenschweifs. Diese aufblitzenden, hellen Streifen sind in der Abdominalsonographie vor allem hinter Darmgas bekannt und werden im englischen Schrifttum als Ring-down-Phänomen bezeichnet. Der Kometenschweif tritt oft an der belüfteten Lungenoberfläche auf, kann aber auch durchmangelnde Ankoppelung des Schallkopfs an die Haut mit zu wenig Kontaktgel entstehen (s. Abb. 2.14, 4.9, 5.9 und 7.1) erkennen sind (s. Abb. 2.3 und 6.6).

6. ***Spiegelartefakte*** treten auf, wenn der Ultraschall schräg auf eine glatte, total reflektierende Struktur trifft, wie z. B. das Zwerchfell. Entsprechend den optischen Gesetzmäßigkeiten gelangen die Schallimpulse im resultierenden Reflexionswinkel in das davorliegende Gewebe, registrieren hier entsprechende Strukturen (z. B. Hämangiome, Metastasen oder Gefäße) und geben deren Bild wiederum über die reflektierende Struktur, den „Spiegel", an den Transducer zurück. Da dieser aber von einer longitudinalen Schallausbreitung ausgeht, projiziert er die dargestellten Strukturen infolge der längeren Schallwellenlaufzeit und des impulslaufzeitabhängigen Bildaufbaus entlang der Bildzeile hinter den Spiegel (Abb. 10.2 und 10.3). Die gespiegelten Bilder sind wegen der teils verlorenen Energie etwas weniger echogen als das Orginal und weniger scharf begrenzt.
7. ***Schichtdickenartefakte*** (Randartefakte) entstehen, wenn der Ultraschallimpuls schräg auf eine stark reflektierende Grenzfläche trifft. Hier wirkt sich die laterale Dimension der Ultraschallstrahlen aus: Während der Rand des Impulses die reflektierende Grenzfläche schon getroffen hat, liegt das Zentrum des Schallstrahls noch vor der Grenzfläche. Dies führt dazu, daß vor und hinter der eigentlichen Grenzfläche feine Echoschleier zur Darstellung kommen. Dieses Phänomen kann am Zwerchfell und an der Pleura vornehmlich in Flüssigkeiten zum Tragen kommen und falsche Binnenechoes vortäuschen..
8. ***Dickenkompressionsphänomen:*** Im Knorpel ist die Schallausbreitungsgeschwindigkeit 1,5- bis 2mal so hoch wie in anderen Körperweichteilen, z.B. Interkostalmuskeln. Durch die verkürzte Schalleitungsdauer kommt es zu einer artifiziellen Stufung des Pleuraechos hinter dem Rippenknorpel, in dem das Pleuraecho hinter dem Rippenknorpel näher am Transducer dargestellt wird als am Interkostalraum. Der Rippenknorpel erscheint im Bild schmaler als er tatsächlich ist. Er kann wie eine optische Linse wirken und eine Vorbuckelung der Leber oder eine Stufenbildung der Gallenblasenwand vortäuschen (Abb. 2.1, 2.16a).

Zusammenfassung

Unverzichtbar für eine taugliche Ultraschallbilddeutung ist die gründliche Kenntnis von Bildartefakten. In der Thoraxsonographie kommen dabei besonders Auslöschungsphänomene, Wiederholungsechos, Rauschen und Spiegelartefakte zum Tragen.

Literatur

Brügmann L (1994) Bildartefakte. In: Schmidt G (Hrsg) Ultraschall-Kursbuch. Georg Thieme Verlag, Stuttgart New York S19–24

Lutz H (1989) Ultraschallfibel Innere Medizin. Springer, Berlin Heidelberg New York Tokyo S 24–29

Seitz K (1990) Transducer, Bildqualität, Abbildungsfehler. In: Schulz RD u. Willi UV (Hrsg) Atlas der Ultraschalldiagnostik beim Kind. Georg Thieme Verlag, Stuttgart New York S 191–196

Wanzl R, Brecht-Krauss D (1991) Akustische Spiegelbilder bei der Weichteilsonographie an der Thoraxwand. ROFO 154/6:670–671

Sachverzeichnis

Abszeß 9, 86
–, Drainage 87
–, subkutan 11
Artefakte 109 ff
–, Eintrittechos, Eintrittsrauschen 31
–, Knorpel, Dickenkompressionsphänomen 8, 113
–, Kometenschweifartefakt 18, 94, 112
–, Schallschatten 8, 18, 111
–, Schallverstärkung, dorsale 110
–, Schichtdickenartefakt 113
–, Spiegelartefakte 112
–, Wiederholungsechos 15, 89, 111
Atelektase
–, Kompressionsatelektase 11, 44, 51, 55 ff
Axilla 9

Befunddokumentation 5
Biopsie, s. Punktion 47 ff
Bronchoaerogramm 82
Bronchopneumonie 84
Brustwand 7

Chylothorax 26

Duplexsonographie 105

Fluidobronchogramm 84

Gefäßzeichen 68
Geräteausstattung 3

Hämatom 9
Hämatothorax 25

Impfmetastasen 54
Indikation 1 ff
Interkostalraum 8

Kallusbildung 14
Kaminphänomen 14
Kompressionsatelektase 24, 85, 93 ff

Lavage, bronchoalveoläre 47
Lipom 9
–, Zwerchfell 46
Lungenatelektase 93
Lungenembolie, Lungeninfarkt 59 ff
–, Emboliequelle 74
–, frischer, Lungenfrühinfarkt 65 ff
–, im Wasserbad 62
–, Pathophysiologie 60
–, Sonomorphologie 61
–, später, alter Lungeninfarkt 69 ff
–, Treffsicherheit der Ultraschalluntersuchung 74
–, Voraussetzungen zur Ultraschallbildgebung 60
Lungenkarzinome 41 ff
Lungenmetastasen 46
Lungentumoren 41 ff
Lymphknoten 9ff
–, entzündlich 12
–, Metastasen 13
Lymphom, malignes 14
- mediastinale Lymphknoten 100

Mediastinum 98 ff
–, parasternal 101
–, suprasternal 99
–, transösophageal 103

Mesotheliom 33 ff
Metastasen
–, Impfmetastasen 54
–, Lungenmetastasen 46
–, Pleurametastasen 35 ff
–, Rippenmetastasen 18, 19

Neuroblastom 47

Obturationsatelektase 95
Osteolyse 17

Pancoast-Tumor 45
Perikarderguß 97
–, Hämatoperikard 98
Pleura 21 ff
–, subpleurales Fett 8
Pleuraempyem 26
Pleuraerguß 21 ff
–, diagnostisches Vorgehen 26
–, Empyem 26
–, hämorrhagischer 25
–, maligner 26
–, Stauungserguß 24
–, Seropneumothorax 25
–, Volumetrie 28 ff
Pleuramesotheliom 33 ff
Pleurametastasen 35 ff, 46
Pleuraschwarte 27
Pleuritis 27

Pneumonie 81 ff
–, Abszedierung 86
–, Bronchopneumonie 84
–, Infarktpneumonie 72, 84
–, poststenotische 84
–, Sonomorphologie 82
Pneumothorax 32
–, bei Punktion 49
Punktion, ultraschallgeführte 33, 47 ff
–, Indikation 49
–, Komplikationen 53
–, Kontraindikation 49
–, Schneidbiopsie 50
–, Treffsicherheit 48

Rippen 7
–, Rippenknorpel 7
–, Rippenfraktur 14
–, Rippenmetastase 17

Schallkopfwahl 4
Sequestration, pulmonale 47
Seropneumothorax 25
Sternumfraktur 17

Tuberkulose 88

Untersuchungsvorgang 4

Vaskularisation 46

Springer-Verlag und Umwelt

Als internationaler wissenschaftlicher Verlag sind wir uns unserer besonderen Verpflichtung der Umwelt gegenüber bewußt und beziehen umweltorientierte Grundsätze in Unternehmensentscheidungen mit ein.

Von unseren Geschäftspartnern (Druckereien, Papierfabriken, Verpakkungsherstellern usw.) verlangen wir, daß sie sowohl beim Herstellungsprozeß selbst als auch beim Einsatz der zur Verwendung kommenden Materialien ökologische Gesichtspunkte berücksichtigen.

Das für dieses Buch verwendete Papier ist aus chlorfrei bzw. chlorarm hergestelltem Zellstoff gefertigt und im ph-Wert neutral.